講談社文庫

恋するように旅をして

角田光代

講談社

目次

〈本文〉
写真／角田光代
イラスト／升ノ内朝子
デザイン／セキユリヲ（ea）

恋するように旅をして

「あんた、こんなとこで何してるの？」

スリランカの、遺跡や寺院がごろごろ残っている観光名所、アヌラーダプラの町を夕方、一人で歩いていた。日暮れどき、緑に覆《おお》われた旧市街は、記憶の底からゆっくりと浮かび上がってくるみたいに、ひそやかにゆるやかに金色に染めあげられる。まっすぐ伸びる赤土の道を歩いていると、自分が向かう先が、まるで空間という横軸ではなく、時間という縦軸で、過去に逆行しているように思えてくる。緑の垣根の向こうから、洗濯ものをとりこむ母親の姿が見え、子供たちが走りまわって遊んでいる。道端に伸びた木の影で犬が腹を見せて眠りこんでいる。

線路を渡って新市街に入ると、ゆっくり時間は今へと戻ってくる。バスやバイクが行き交い、買い物かごから野菜をはみ出させた女たちがすれ違い、少年たちが遊び場を捜しに連れ立って歩いている。

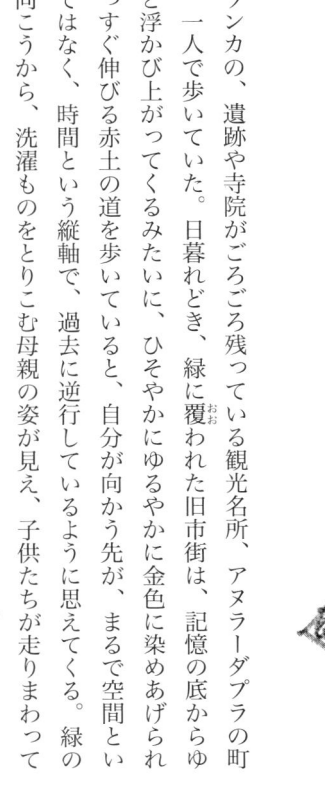

「あなた、日本の人、Aゲスト・ハウスに泊まっている人でしょう?」ふいに声をかけられてふりむくと、自転車に乗った若者が私を見て笑いかける。「ぼくはあそこの主人の甥《おい》なんだけど、さっき、あなたあてに日本から電話がきたよ。急ぎかもしれないから、日本人のあなたらしき人を今捜してたんだ」

彼は自転車電報みたいなことを言った。たしかに私はその町で、出版社からの連絡を待っていた。これから電話屋にいって日本に電話をかけると言うと、彼は自分の自転車に私を乗せて、電話屋に連れていってあげる、と言う。自転車に乗る、といっても荷台はない。彼が漕ぐ自転車の、ハンドルとサドルを結ぶパイプの上に横座りするのだ。言われるまま、おそるおそるそうして座ってみたが、安定が悪く、不安なことこのうえない。それでも自転車は、走ってくる車をよけながらでこぼこの悪路をいくのだから、「こわいこわいこわいこわいようううう」と、走っているあいだじゅう叫ばないわけにはいかなかった。自転車を漕ぎながら男の子は、「OKOKOKOKノオオオオーープロブレエエエーーム」と叫び返し、なんとなく私を安心させるのだった。

電話屋で無事電話を終えておもてに出ると、自転車の彼はそこにいて、喫茶店に私を誘った。

彼が連れていってくれたのは、この町ではめずらしい、冷房のきいた喫茶店で、氷入りのアイスコーヒーがあった。喫茶店に私たち以外客はおらず、痩《や》せぎすで厚化粧の女主人が、退屈そうに店の隅でテレビを見ていた。私たちは向き合って座り、アイスコーヒーをすする。

「あなたが泊まっている宿のオーナーはぼくのおじさんなんだ。今、大学が休みだからおじさんのところに遊びにきてるんだよ」

彼は聞き取りやすい英語をしゃべった。全身くまなく日に焼けた、がたいのいい好青年だった。

「コロンボの大学にいってるんだ。その大学には、日本人もいるよ、友達なんだ、ほら」彼は言いながら、財布から一枚の写真を出す。日本人らしき男の子と彼が、肩を組んでこちらに向けて笑っていた。

「何を勉強しているの？」

「農業。彼も農業を勉強しにスリランカへきたんだ」

彼はよくしゃべった。おもてを歩く町の人々は、動物園の檻《おり》をのぞくみたいに、

「あんた、こんなとこで何してるの？」

ガラス窓越しに私たちを眺めて通りすぎていく。

「今日さ、パーティがあるんだ、こっちに住んでる友達数人と、湖のほとりでパーティするんだ、五時か、六時か、それくらいから。よかったらきみも一緒にこない？」

「いいの？」

「いいよ、人は多いほうが楽しいし、おじさんのゲスト・ハウスなら帰りも送ってあげるよ」

それから私たちはしばらく話をした。コロンボの大学のこと。日本の生活のこと。宗教のこと。町のこと、食べもののこと。

「大学生ってことは、あなたは二十歳くらい？」

ふと私は訊いた。

「二十一だよ。きみは？」彼が訊き、

「三十三」私は答えた。

「え？　いくつ？」

「三十三」


「あんた、こんなとこで何してるの？」

「二十……？」

「三十三」

沈黙が訪れた。女が見ていたテレビは消されていて、クーラーのまわる乾いた音だけが店内に小さく響いていた。私の向かいに座った彼の表情から、なにか、闊達《かったつ》さみたいなものが急激に失われていくのを私は見た。彼は明らかに落胆していた。人の表情がこんなふうにあからさまに変わるのを、はじめて間近で見た。しかし私にはその理由が理解できない。急に言葉少なくなった彼を私はぽかんと見つめた。**で、あんた、こんなとこで何してんの？**　と、彼の顔は語っていた。

その顔つきのまま、彼はふたたび訊く。

「結婚しているの？」

ああそうか、と私は気づいた。そんなことが心配だったのか。ならば心配ご無用。

「してないよ」私は明るく答えた。

しかし彼はその答えを聞いてさらに眉間にしわを寄せ、

「なんで？」とくる。

「あんた、こんなとこで何してるの?」


「さあ……?」

ふたたび長い沈黙。さっきまでの弾む会話が遠く夢のなかのできごとみたいに感じられた。いったい何がまずいのだろう。彼は先ほどの、で、あんたはこんなとこで何してんの? 的表情を崩さず、

「この国で、三十三で、結婚していないのはへんだ」

声を落として言う。

「ふーん。いくつくらいで結婚すんの?」つとめて明るく私は訊く。

「二十代前半。二十五でも遅いくらいだ」

「日本じゃふつうだけどねえ」

「でも、へんだ」

彼はかたくなに言い、まじまじと私を見る。(で、あんたいったい、何してんのここで? 三十三歳にもなって?)彼の顔はますます声高に語っている。

「もういかなきゃ」

腕時計に目を落とし、彼は言って立ち上がる。

「ああそうだね、電話のこと、ありがとう」

「いいんだ。それじゃあ」

彼はすばやく店を出ていった。冷房のきいた店内には、厚化粧の女主人と、私だけがとり残された。どうやら彼にとって二十五歳以上の女は会話するに値しないらしい。パーティにも年齢制限があるらしい。ふーん。べつにいいけど。

溶けた氷で薄まったアイスコーヒーをすすりあげて、私も席を立ち、ふと、彼が勘定も払わず去っていったことに気づいた。厚化粧の女にふたりぶんのコーヒー代を払い、店を出る。むんと煮詰まった空気が私を取り囲む。

この国の夕暮れは長く、町は橙《だいだい》に染まったままなかなか夜に沈まない。ゲスト・ハウスに戻るにはまだ早いし、私はあてもなく町をぶらつく。食堂からスパイスの香りが漂い、布地屋は色とりどりの布の合間から大声で客引きの文句をくりかえす。体よりずいぶん大きな自転車に乗った子どもたちが、騒ぎながら私のわきを通りすぎていく。長距離バスステーションは人でごったがえしている。なんとなく楽しくなってくる。知らず知らず笑いがこみあげてくる。

私だって、びっくりしているんだよ。さっき向かいで白い歯をのぞかせて、快活に話していた二十一の青年に、心のなかで私は話しかける。いつのまにか三十三年も過ぎてしまったことに。三十三回目の春をこんな場所で迎えていることに。いったい何をしているのか、まだわかりそうもないことに。

　車もバイクも自転車もとだえ、その一瞬の静寂のなかに、どこか高いところに止まった蟬《せみ》がカナカナカナと鳴く声がする。それは四つの夏の終わりに聞いたものとそっくり同じなのに、私が立っているのは、そこから果てしなく離れた場所だ。

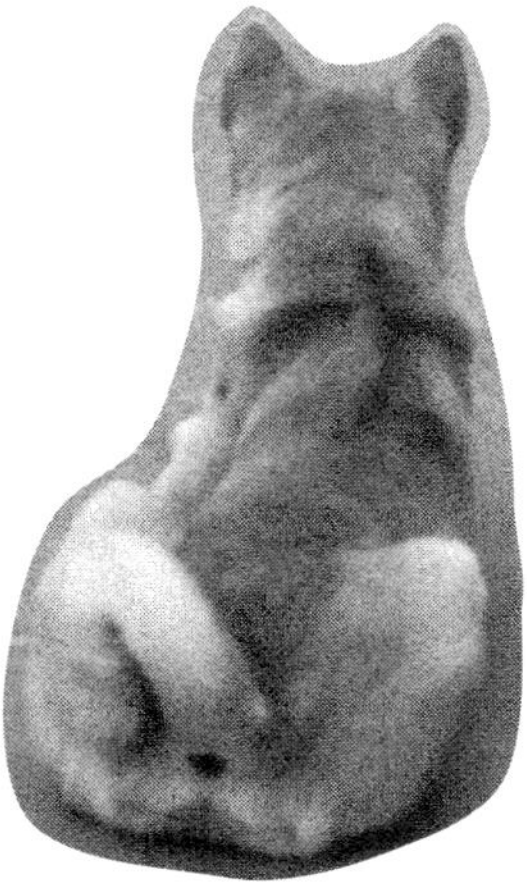

夢のようなリゾート

シンガポールから出ているビンタン島いきの船は二種類あって、乗り場も違う。ひとつは高級リゾート地いきで、もうひとつはごく普通の町に向かう。チケット売場で、タンジュンピナンでいいのね？　いいのね？　ほんとうにいいのね？　と、しつこいくらい確認されたのは、きっと、私のいこうとしている町に、旅行者が訪れるような見どころはなんにもない、ということなんだろう、と薄ぼんやりと理解した。フェリーは立派だったが、乗客は少なく、旅行者の姿はたしかに皆無で、みんな、段ボール箱を抱えていたり、ぱんぱんにふくらんだバッグをかついだりしていた。

フェリーで一時間、桟橋《さんばし》を渡ってついた場所は本当に、なんの変哲もないアジアの田舎町だった。魚や野菜を地面に並べた市場、埃《ほこり》まみれの玩具を必要以上に軒先

にぶら下げたおもちゃ屋、色の鮮やかな布地屋。町の規模と裏腹にやけに活気づき混みあっている屋根のない食堂。低い街並みに突き出た、緑色の光沢あるモスクの屋根。

ビーチ沿いにゲスト・ハウスがあるらしい海岸へは、町から車で一時間ほど走る。島内の交通手段はそれしかなく、タクシーに乗って、町で紹介してもらったゲスト・ハウスへ向かった。

ビーチ、という言葉でおそらくだれもが想像するであろう雰囲気というものがあると思う。椰子《やし》の木、砂浜、ビーチパラソル、降りそそぐ陽光、少しばかり浮かれた華やかさ。タクシーが私を連れていった場所は、たしかに、海沿いではあった。椰子の木もあった。天気もまあよかった。けれど私が思い描いていたビーチとは何かが決定的に違った。

海沿いに木造の小さなバンガローが、五、六戸並んで建っている。どれも古びていて、ぼろくて、今にも倒れそうだった。バンガローから少し歩いたところに、食堂をかねたフロントがあり、檻に入った猿と、怪我でもしているのか飛べないらしい鷲がいた。私の応対をしたのはどう見ても十四歳以上には見えないこどもで、泊まり客は私以外におらず、スタッフも彼以外いないみたいだった。私は食堂のいすに腰かけて、目の前に広がる海を眺めた。おそろしく遠浅の海で、数十メートル先までぬかるんだ砂浜が続いていて、水着に着替える気にはなれそうもなかった。

とくに美しいわけでもない、遠浅の海を眺めているのにも厭きて、海に背を向けて通り沿いに出た。そうして、その場で私は唖然と立ちつくした。通りには、右を向いても左を向いても、どんなに目を凝らしても、視力の届くかぎりにおいて、端が赤土にかくされたアスファルトと、それを縁取る雑草がひたすら続くのみで、ほかには何もないのである。たばこ屋一軒、食堂一軒、民家一軒ないのである。さっきタクシーで通ったのだから気づいてもよさそうなものを、よっぽど浮かれていて目に入らなかったに違いない。

ふと我に返り、フロントに戻ってそこにいるこどもに、まわりには店がないようだけれど食事はどうすればいいのかと訊いた。ここは三食付きだよ、三食込みの値段なんだよ、と彼は自慢げに答えた。

食事の確保はできたものの、暇である。私はふたたび食堂のいすに腰かけて、ぼんやりと遠浅の海を眺めた。檻のなかで猿がわめき、飛べない鷲がそれに答えるようにかん高い声をはりあげていた。いったいここはどこだ？

　ふと、フロントのわきの壁に色あせた地図がはってあるのに気づいて、それをしげしげと眺めた。数十キロ先に、べつのビーチがあるみたいだった。べつのビーチがあると知ると、とたんに泳ぎたくなった。まだ午前中だし、ここで一日遠浅の海を眺めていてもしかたがない、少し移動して泳げそうな場所を捜しにいくか、と思い、その前向きな発想にいささか興奮して、私はこどもを呼んだ。彼はフロントに隣接した調理場の奥から出てくる。

「バイクを借りられるかな？」私は訊いた。

「貸せるけど……なぜ？」

「ここ、このビーチにいきたいの」言って、地図を指した。

「どうして？」こどもはなぜか不機嫌なように見えた。

「どうしてって、ここのビーチは遠浅だし、水もそんなにきれいじゃないから、こっちへいってみたいの」

　そう言うと、彼はしばらく私を見ていたが、ぼそりと、

「バイクを貸してもいいんだけど……でもそのビーチ」そこで言葉を切って、地図

と向き合い、「**死ぬよ**」と一言、低くつけたした。

「へっ⁉　死ぬ？　なんで？」死ぬという言葉が出てくるとは予想だにしていなかった私は仰天して、大きな声を出した。

「このあいだも、旅行者がそこへいって死んだよ」

彼は真顔で言って、調理場の奥へひっこんでいってしまった。

死ぬ……。ひょっとしたらたった一人の泊まり客である私が宿を変えたいと言い出すことを恐れての、彼の法螺かもしれないが、なんとなくいやな気分になった。前向きな発想に興奮していた気持ちは萎えて、なんだかどうでもよくなっていく。死ぬなどと不吉なことを言われて、慣れないバイクにまたがるのもいやだった。

おとなしく私は食堂のいすに座り、遠浅の海と、檻のなかの猿と、飛べない鷲を交互に見た。そうしてひたすら、時間がたつのを待った。

やっとのことで夜がきて、食堂のテーブルについて食事を待った。食事を運んできたのはやっぱり、十四歳以下にしか見えない彼だった。ディナー！　と彼は叫びながら食事をテーブルに並べる。プラスチックの皿に、ごはんと、おかずが入っていた。それがディナーだった。おかずはぐたぐたに煮込んである何かで、食べてみてもそれが肉なのか魚なのかわからなかった。まるで刑務所の食事であるかのようなそれらを、私とこどもは向き合って、黙々と食べた。ときおり猿がキーッとわめき、キーッとわめくとすぐさまそれに答えて鷲がぎゃっぎゃっと低い声で鳴いて羽をばたつかせた。

フロントを兼ねた食堂は壁のない、柱だけで屋根を支えている小屋で、どす黒い海からときおり、潮のにおいのするやわらかい風が吹いた。闇と溶け合っていて判別できない水平線に向かって、流れこむように星が光っていた。

「ここにはあなたしかいないの？」

こどもに私は訊いた。

「いるよ」

彼はそっけなくそれだけ答えたが、彼以外の人がどこにいるのか、私には見えなかったし、彼も教えてくれなかった。

食事を終えても、バンガローに戻る気にはなれなかった。なにしろバンガローはずいぶん古びていて、狭く、裸電球が一つあるきりでひどく暗いのだ。それで、私は食堂のいすに座り続けていた。テレビもなく、本もないが、そこしかいる場所がないのだ。

「手品を見せてあげる」

食器をかたづけおえたこどもはそう言って、私の前にトランプを並べた。私が無作為に引いた一枚がどれだったか彼が当てる、という手品で、たしかにそれは見事に当たって私を驚かせた。

「すごいじゃん！　どうしてわかるの？」そう言うと彼はうれしそうに、

「もう一度やるからね。タネがわかるまでやってあげるよ」と言い、もう一度やってくれた。ふたたび当たり、タネはわからなかった。

タネがわかるまでやってあげる、というその言葉どおり、彼は何度も何度も同じ手品を披露してくれた。

こうした手品に異様に興味を持って、「自分でタネあかしができるまで絶対に教えるな」と意気込むことのできる種類の人というのはたしかに存在する。根気よく何度でも何度でも手品を凝視して、ああでもない、こうでもない、と考える。ところが私は、そういう種類の人ではない。どちらかといえば、対極に位置する。手品のタネというものにあんまり興味がないのだ。はっきりいえば手品そのものにもさほど興味はない。当たれば驚くし、タネあかしをされればふうん、と思うが、早い話、どうだっていいのだ。

しかし、目の前の彼は実際「タネがわかるまで」何度でもやってくれようとしている。ここでわからなければこの状態は永遠に続く、と悟った私は目を皿のようにして彼の手元を見、真剣に考えてみたのだが、そうすると彼は私が熱中していると思いこんで、同じ手品を思わせぶりな手つきで続けるのだった。

「もういいよ、降参」

その状態に耐えられなくなって、私はまさしく降参宣言をした。ところが彼は今度は、別の手品を見せ、手品のタネあかしもできない気の毒な日本人旅行者のために、すぐさまタネをあかして、さあやってみろ、と私に練習させるのだった。トランプなんかもう見たくもなかったが、薄暗く狭いバンガローに戻ることと、ここで彼の言うなりにトランプをあやつることを秤にかけて、結局、手品を練習するほうを選んだ。

波の音がときおり聞こえた。頭上の蛍光灯の周辺を小さな虫が飛びまわっていた。猿と鷲はときおり思い出したようにキーッ、ぎゃっぎゃっ、と騒いだ。たぶん一生どこでも披露しないであろうトランプ手品を、私は熱心に練習し続けた。夜が更けていく。

深夜、激しい風と雨の音と、振動で目覚めた。おもては暴風雨で、私の眠るバンガローは風に揺れていた。バナナの葉で編んだらしい屋根から、ときおり水滴が落ちてきた。その状況がどんなに意に沿わないものであっても、**どうすることもできない**、ということが、本当に世の中にはあるんだと、確認などしたくもなかったがしていた。バンガローが倒れたり、屋根が飛んでいって雨曝《あまざら》しになったりしないことを願うこと以外、私にできることはなかった。あのこどもも、たったひとりで、雨と風の音を聞きながら眠っているんだろうか、と考えた。

次の日、やはり十四歳以下にしか見えない彼と、プラスチックの皿に入った朝御飯を食べ、早々に帰り支度をして、タクシーを呼んでもらった。

「もう帰っちゃうの」彼は言った。

「残念だけど、時間がないから」私は答えた。本当は、数日間滞在するつもりだったから、余った日にちをどこで過ごそうか考えなければならなかった。けれど、トランプ手品をもう一晩練習する気にもなれず、どうすることもできないという状況を再確認したくもなかった。

タクシーがやってきて、猿は檻のなかでキーッと鳴き、鷺はぎゃっぎゃっと鳴いて羽をばたつかせ、十四歳以下にしか見えない彼はうつむいて足元の砂を蹴りながら、またね、と言った。走り出したタクシーからふりむくと、埃だらけの窓の向こうに、何もない道路に突っ立って、こちらに手をふる彼の姿が見えた。私も手をふった。

タクシーに揺られながら、間違ってもいい意味ではなくて、夢みたいだった、と私は思った。けれどそれは悪夢でもなく、もっと不可思議な、奇妙な、シュールな、起きて一日考えこんでしまうような、そんな夢なのだった。

トーマスさん

　言葉が違ったって、生きてきた場所が違ったって、人はみんな同じはずだ、わかりあうことは不可能ではないはずだ、と、旅をしているとかならず思うのだが、それは実感しているのでなくて、そう信じたいようなところがある。言葉や習慣の違いが決定的に異国人を排斥するのならば、どこかにいく喜びというのはきっと三分の一ほどしかない。

　――そう信じようとしているのだけれど、いや、そうじゃない、ひょっとしたら世界というのは私の思う百倍は広くて、理解不能なことがらが無数にあるに違いない、と、トーマスさんを見ていて私はひそかに思ったのである。

　トーマスさんはカナダ人で、私たちはバンコクの東バスターミナルから出る、ラオス国境の町ノンカイに向かう夜行バスで出会った。トーマスさんは私の隣の席だ

った。プラスチックパックに入った弁当とお茶が配られ、予定時間よりだいぶ遅れてバスは発車する。

ノンカイで明日から祭があるらしく、バスは帰省する人、祭を見にいく人で満員、バスターミナルにも人があふれ、バスが次々と到着しては人を乗せている。私は窓に額をくっつけて、走りだしたバスの窓からその雑踏が遠ざかっていくのを眺めていた。バスの発車前、簡単に自己紹介しあった隣のトーマスさんは、夢中で弁当を食べバスが走りだしたことにも気づかないようすであった。

バスはバンコクの中心地を抜け、しかし窓の外で町はあいかわらずにぎやかで、連なる屋台の白熱灯は、町を覆う夜を追いやるようにこうこうと輝いている。汁そばや炒めものの屋台は白い湯気をあげ、服屋は与えられたスペースにびっしりとTシャツやジーンズを並べ、売りものの偽腕時計や積み重ねられたテレビが大小の光を放ち、その合間を、買物客が絶え間なく歩いている。このごちゃごちゃ感は私がもっとも愛している光景である。

気がつくと窓に額をくっつけている私のまうしろで、同じようにトーマスさんもおもての景色に見とれていた。目が合うと、トーマスさんはにかっと笑い、やおら

大声で、

「Iiiiiii'm in Thaaaailaaaaaand！！！！！」

と叫んだ。ぎょっとしたが、うふふ、と追従的に笑い、もそもそ動きはじめたトーマスさんを横目でうかがっていると、彼は座席の下においたバッグから、ビールを取り出し、ぷしゅ、とプルタブを開けてぐびぐび飲みはじめた。バッグのなかには缶ビールがつまっていた。

トーマスさんはカナダで妻とこどもと暮らしているそうである。それなのに、彼らを置いて六ヵ月の旅に出てきたそうである。今までマレーシアにいて、バンコクに着いたばかり、けれどバンコクは見ずにそのままラオス、ミャンマーとまわってインドへいくそうである。

あなたの長期不在に妻は怒らなかったのか、と訊くと、彼女は韓国人で、ついこのあいだ韓国に三ヵ月帰っていた、だから今度はぼくの番なんだ、と答えた。よくわからない答であったが私は納得したふりをして、ふむふむとうなずいた。ビールを飲むかと訊かれたが、夜行バスにはトイレがついておらず、いったいいつトイレ休憩があるかもわからない、飲みたくてもこわくて飲めず、断った。

次第に窓の外は暗闇に支配されてくる。それでもときおり、小規模な屋台の群れや、ばかでかいショッピングセンターが登場し、トーマスさんとの会話がとぎれると私は顔を窓の外に向けてその景色に見入るのだった。窓にうっすらとトーマスさんの姿が映っていた。トーマスさんは一本飲み干すともう一本をぷしゅ、と開け、それも速攻飲み干してまたぷしゅ、足元にはつぶされた空き缶が転がり、それだけ見ているとバスに乗っていることを忘れそうであった。ああこの人は、おしっこしたくなったらどうしようなんて、一生のうち一度でも心配になったことがないのだ、きっと牛のような膀胱の持ち主なのだ、うらやましい、ガラス窓に淡く映る楽しげなトーマスさんを見て私は幾度も思った。

しかし次第にバスは悲劇的な展開を迎えることになる。

実際よくあることなのだが、つい忘れてしまうことがらのなかに、「寒暖に対する価値観」がある。タイは暑い。いつも暑い。冷房はありがたいもので、きっと彼らはいつだって機会があれば暑さからのがれたいし、外国人に対しても、暑さをしのいであげるのがサービスだと思っている。結果、長距離バスだの夜行列車のファーストクラスだのはがんがんに冷やされる（ときが多い）。

そうして私たちの乗った夜行バスは、このような過剰冷却バスであった。さっきまで、涼しいな、くらいであったバス内の温度は、バンコクを離れたのを合図みたいにして、急激に冷やされはじめた。涼しいを通りこし、はっきり「寒い」になり、さらに「本当に寒い」くらいまで温度は下降し、数分後、「ひょっとして運転手もしくは乗務員は乗客に殺意を抱いているのかもしれない」と疑わざるを得ない温度でぴたりととまり、それを保持している。発車前に配られた、薄っぺらい毛布を私は全身にかけて、こっそりトーマスさんを見、驚愕する。

半袖のTシャツでトーマスさんはまだうれしそうに、ぷしゅ、ぷしゅ、とビールを開け続けているのである。ふたたび目が合うと、さっき叫んだときとほぼかわらぬテンションで、こどもの写真を見せてくれたり、マレーシアのどこで遊んでいたかを話し出すのだった。私は毛布にくるまり、寒さにがたがたと震えながら相槌を打った。

バスのなかの明かりが消され、まだ九時にもなっていないがむりやり消灯時間のようである。乗客たちは毛布をかぶって静かになり、暗いためにさっきよりもっと寒く感じられ、私は足を折り畳んでスカートのなかにいれ、荷物のなかからシャツを取り出して着こみ、目を閉じてみるが寒さのために眠れない。

ふと気づくとさっきまでハイテンションだったトーマスさんが妙に静かである。おしっこしたいって言うのかなあ。言われたら迷惑だけれどなんとなくそう言ってほしいような心持ちで私はトーマスさんのようすをうかがう。

「ミツヨ……」トーマスさんは覚えたばかりの私の名前をそっとささやいた。おしっこ？　複雑な気持ちで彼のほうを向くとしかし彼は、

「飴、持ってる？」

悄然としてそんなことを言う。

「飴？」

「咽喉が痛いんだ……」

私は荷物をさぐり、バッグのポケットから古びた飴を見つけた。半年ほど前に、居酒屋で会計のときにもらった飴だった。それを渡すとトーマスさんはしげしげと眺めている。

「これ、咽喉にいいの？」トーマスさんは不安げに言う。

「さあ……？　普通の飴だと思うけど……」

トーマスさんはずいぶん長いあいだその古びた飴――飴はとけかけて外側のビニールにくっついている――をためつ眇めつ眺めたのち、遠慮がちに私に返してきた。

「やっぱりいいや。なんとなく咽喉にはきかなそうだし……」

そんなことより**あんた、寒くないのっ？** と訊きたかったが、無言で飴を受け取ってポケットにしまいこんだ。

バスはしばらく走って、ドライブ・インに入った。車内の明かりがつき、乗客たちは起き出して静かに言葉を交わしはじめる。

「売店で咽喉にいい飴を買うよ」

トーマスさんは言って、空き缶をまとめ、バスをおりる準備をしはじめる。

バスから吐き出される人々のなかにトーマスさんの背中を見送って、飴はわかった、飴はわかったから忘れずにトイレにもいっておいてくれ、と私は祈るような気持ちで思った。

バスの発車時刻ぎりぎり、窓の外を見ていると、満面の笑みで戻ってくるトーマスさんが見えた。私の隣にさっそく座るトーマスさんに、飴はあったかと訊こうとして私は口を閉ざした。トーマスさんの手には、カップラーメンがあった。私は軽く混乱した。

「これで咽喉もなおるよ」とトーマスさんは自信たっぷりに言うのであった。

そしてバスが走りだすのと同時に、トーマスさんはカップラーメンをすすりはじめた。それも、カップヌードルサイズなんてかわいいしろものではなく、日本で言えばどでかサイズ、1・5倍の、あれなのである。

ふたたび車内の電気は消され、ときおりどこかで乗客の抑えた話し声が聞こえ、私は毛布をかぶって寒さに耐えつつ眠りを待った。ズズー、ズズーと麺をすする音が車内じゅうに響いていた。

――トーマスさん、トイレにはいったんだろうか。軽く混乱したまま私は考える。カップラーメンの汁はどうするんだろうか。窓から捨てるのだろうか。咽喉の痛みにカップラーメンがいいと、いったいどこでどんなふうに彼は学んできたのであろうか。

しかし心配はいらないのだった。トーマスさんはカップラーメンの汁すべてを飲み干し、空の容器を足元にきちんとおいて、毛布もかけず、殺人的な冷房のなか、

Tシャツ姿ですこやかすぎるいびきをかいて早々に眠ってしまったのだから。私は寒さにがたがたと震え、人はわかりあえるなんてうそだ、絶対に理解しあえないところで私たちは細々と生きているのだ、と悟り、明け方近く、寒さに失神するように眠ったのだった。

旅における言葉と恋愛の相互関係について

旅先で男の子と知り合って、たまたま同じ町に何日も滞在していると、なんとなく毎日顔を合わせて夕飯をともにしたり、つるんで遊んだり、ということはよくあるし、なかにはものすごく気があって、おたがい好意を持ちつつ日々を過ごす、ということもときおりあるけれど、じゃあそれが旅のさなかに恋に発展するかというと、私の場合そんな経験は皆無だ。旅から帰って、たまたまホームグラウンドで再会して恋に落ちるというのなら、理解できるし、いや、そうした経験ならあるのだが、実際のところ、人はどうなんだろうか。旅の合間でもかんたんに恋に落ちるのか。ホームグラウンドでなければ恋ができないという私は、どこか保守的なんだろうか。腰を落ち着けて恋をしたいのだろうか。

そんなことをじっくり考えてしまったのは、旅先で恋に落ち、しかもそのまま結婚を決めてしまったと宣言した、ある男の子に会ったからである。

ベトナムのニャチャンという町だった。五キロに及ぶ海岸に沿って伸びるように広がる町で、リゾート地というふれこみらしく旅行者たちの姿が多く見られたが、あんまり派手な感じのない、のんびりして、どこかひなびたところだった。ハノイから南下してきてここで途中下車した私は、それまで天候に恵まれなかったこともあって、青空の下に広がる海、という図が単純に気に入り、十日間ほど滞在した。

旅行者の姿はよく見かけたが日本人はあんまりいなくて、だから彼の姿を見つけたときはようやく日本語がしゃべれるうれしさで、躊躇なく声をかけた。私たちは海岸沿いに並べられたデッキチェアに座り、３３３《バーバーバー》を飲みながらいろんな話をした。彼は私よりもふたつほど若かった。仕事をやめて旅行に出たのだと言った。アジアからヨーロッパをまわり、ほぼ一年で帰る予定らしかった。服飾デザインの仕事をしていて、ふと、アジアやヨーロッパの民族衣裳や古典衣裳を勉強したくなって、それで旅に出たのだと言った。

じゃあ日本を出たのはいつになるの？　と私は訊いた。

旅に出たのは三ヵ月前だけど、じつはちょっと事情があって、十日ほど前に一度帰って、こないだここへ戻ってきたと彼は言う。

ベトナムから日本へいってベトナムへ帰ってきたの？　私はくりかえし、なんとなく話がこんがらがってきて質問を続けようとすると、まあいろいろあって、とつぶやく彼が、あまりそのことに触れてほしくないようだったので、それきりその話はしなかった。

旅の合間に会った人の話というのは、私にとってどうもぴんとこないことが多い。いや、たとえば抽象的な話なんかだと、奇妙にわかりやすかったりするのだが、その話が現実的であればあるほど、どこかぼやけてわかりにくくなるのだ。

たとえば、今旅に出て二週間目だけれど日本にいるときは江東区に住んでいて、コンピュータの仕事をしており、会社でとれる休みは十日がせいぜいなのだが、有給をかき集めたり裏の手を使ったりして三週間の休みをもぎ取り（このあたりからもう何がなんだかわからない）、どうしてこの国にこようと思ったのかというとそもそも大学生のとき史学の授業でここの遺跡を写真で見たからであり、などと続くと、うなずきながら私はまったくべつのことを考えていたりする。そもそも、目の前にいるだれかが日本で仕事をしていたり学生だったりすることなんてまったく想像できず、想像できないということは、どうでもいいことなのだ。

それで、三ヵ月前に一年の旅をするつもりで日本を出てきたけれど事情があっていったん帰国、なんてややこしい話も私に理解できるはずがなく、泊まっている宿だとかおいしい食べもの屋だとかの情報交換をして、目の前の穏やかな波を見てビールを飲んだ。

あたりの景色が橙に染まるころ、マッサージや脱毛をすすめるベトナムの女たちは帰り支度をはじめ、浜辺に寝そべっていた旅行者たちもそろそろと腰をあげる。どこからかこどもや青年たちが集まってきて、砂浜でサッカーをはじめる。女たちが服を着たまま海に入って笑い声を響かせる。日が暮れるまでのこの橙色の数時間、海岸はこの町に住む人でもっともにぎわうのだ。

デッキチェアから起き上がり、ではまたね、と言うと、夕飯を一緒に食べようと男の子が言う。おいしいベトナムふう焼き肉屋があるのだと言う。断る理由は何もない。しかも焼き肉！　待ち合わせを決め、私たちはそれぞれの宿へいったん戻った。

焼き肉屋は海に背を向けて市場のあるほうへ進んだ路地の隅にあった。店先には炭の入った七輪が並べられ、それぞれ煙をもうもうとたてていた。私とさっき知り合ったばかりの彼は、向き合って屋外に出されたテーブルにつき、肉や野菜を七輪の網に並べてかたっぱしから食べた。

じつは、この国の女の子と結婚を決めたのだと、突然彼が打ち明けたのは、ねっとりとまとわりつくような暑さをまぎらわすために氷入りのビールを何杯か続けて飲み、いくぶんうちとけて話をしているときだった。結婚を決めたので、それを両親に承諾してもらうために一時帰国して、そうしてまた戻ってきて旅を続けるのだと、彼は言った。

私はがぜん興味を持って、声をはりあげてビールの追加を頼み、飛び交う異国語から彼の声を聞き取るために、いすを近づけて身を乗り出した。旅先で聞く恋の話は、修学旅行で交わされる深夜のおしゃべりに似て、ひどく無責任にあまやかである。

聞くところによると、彼は英語がしゃべれず、彼女は日本語はもちろん、英語もしゃべれないと言う。いったい何語でコミュニケーションをとって恋に落ち、どのようにしてそれが結婚まで発展したのか？　それまでの旅で、言葉のつうじない不便さをいやというほど味わっていたし、それによって生じるトラブルもいくつか経験していた私は夢中になって訊いた。

どうしても言葉にしなくちゃならないときはおたがい辞書を持って英語で話すけれど、でもね、本当に大事なものの前で言葉は無力なんだよ、気持ちを伝えるすべは言葉だけじゃないんだよ、と、まるで星の王子様に出てくるあのキツネみたいなことを、彼は言ってのけるのだった。そのロマンチックな答えに妙に感心してしまい、旅先で恋に落ちたことのない私はやっぱりものすごく頭が固いんだろうか、言葉に頼っていたりするんだろうか、ひょっとしたらそれは冷房病なんかより深刻な職業病なのではないか……？　なんてことを考えてしまった。ビールの泡みたいに疑問はあふれ、そのひとつひとつを私は口にした。

言葉のつうじない相手を好きになってしまう気持ちというのはわからないでもない、しかしその先だ、会話が成り立たないのであるならあなたは彼女の人となりをどんなところで判断するのか、あることがらがいいとかわるいとか、好きだとか嫌いだとか、価値観という言葉はおおげさだけれど彼女のそれがわからなくても不安はないのか、また自分を言葉以外で知ってもらうにはひどく時間がかかるのではな

いか、等々、等々。

するとと彼は、七輪の上で焦げはじめた肉をじっと見つめて、言った。

彼女みたいな女は日本にはもういない。

ヘッ？　私はさらに彼に近づいて耳を傾ける。

彼女は優しく、よく気がつき、従順で、自分のことを温かく見守ってくれ、文句も言わず口答えもせず、いつもにこにこ笑っていて、黙って寄り添っていてくれる……と、焦げた肉を、長い箸でひっくりかえしたりいじったりしながら、彼は延々と言い募った。彼の目に映る彼女の姿、というか、日本に絶滅したらしい種類の女像について。

それはそれでなんというか、ある意味興味深い話ではあったのだけれど、言葉がどうの価値観がどうのと、勢いこんで発した私の野暮くさい質問の数々が、店先の七輪からあがる煙とともに正体なく浮かび上がり、むんとした夜気に溶けていくみたいだった。それとともに会話する気力が萎えてきて、私はテーブルの上のビール瓶を眺め、瓶の曲線を流れ落ちる水滴と、はがれかけた333のラベルを指でいじり、もう一本ビールを頼もうかどうしようかぼんやりと迷っていた。

　ふいに黙りこんだ私とは裏腹に彼は話すことで気分が高揚してきたらしく、嬉々として、彼女の写真、見ますか？　などと言い出し、私もなんとなく自主的に気分をもりあげて、うん、見る見る、などと笑顔でうなずいたのだが、写真をさしだしながら彼が、日本人みたいでしょう、アイドルのだれだれに似てると思いませんかと言ったとき、数ミリの誇張もなくめまいがした。私はフェミニストでもないしそうだったこともない、女性の権利がどうのとも男女差がどうのとも考えたことがただの一度もない、だからそんな意味合いではけっしてなくて、でも、なあ、それでいいのかよ？　と、心のなかで叫ばずにはいられなかった。それでいいのかよ日本男児？

　ビールはあきらめざるを得なかった。明日にはわかれてしまうかもしれない、旅ですれ違うだれかと言い合いをするのはまっぴらごめんだし、たった一日言葉を交わしただけの彼の恋愛がどれだけ珍妙でも口をはさむのは野暮である。なんだか頭が痛い、風邪をひいたのかもしれないと言って、自分のぶんの勘定を払い、私は彼をおいて店を出た。

　街灯は少なくて、どこまで歩いても熱気は私を取り巻いていた。ぽつんと開いていた屋台で、瓶ビールを一本買って栓を開けてもらった。生温かいそれをらっぱ飲みしながら、ホテルを目指してとぼとぼ歩いた。言葉が無力であるところの恋愛、言葉を使わずに気持ちを伝えるすべ、ひょっとしたらそれらをどうしようもなくもとめているのは私自身なのかもしれないと、打ち寄せる波の音が遠く聞こえてきて、ふと思った。

旅のシュールな出会い系

酒がなくていったいどうする、と、だれに対してかすごむように日々暮らしているわけで、当然、旅先でもほとんど毎晩飲むのだけれど、何が苦手って一人で飲むのが苦手だ。結果、ほかの旅行者と一緒に飲んでもらうことになる。つまりナンパをする。もっともナンパしやすいのがひとり旅の日本人男だ。日本人女よりよく見かけるし、彼らもたいがい退屈していて、声をかけてきたのが女だと警戒しない。何より、言葉が瞬時につうじるのがいい。とことんいやなやつ、とか、なぜだか説教される、なんて失敗もときにはあるが、だいたいにおいて、ひとり旅の日本人男と一緒に飲むのはたのしい。

ネパールを旅行中のある夜、私はともに飲む相手を見つけられず、ひとりでビールを飲んで店を出、もうちっと飲んでいくか、と歩きまわっているうち迷子にな

り、次第に尿意をもよおしてきたのだが、見知った通りにも出ずトイレのありそうな場所もなく、尿意の激しさが増していくのを感じながら絶望的な気分で路地から路地を徘徊していた。

数十メートル先に瀟洒《しょうしゃ》なホテルが見えてきて、あそこならばトイレがあるに違いない、と先を急ぎ、さてホテルの敷地内に入ったものの、そのホテルはあまりにも広大で入り組んでおり、どこがフロントでどこがトイレでどこが客室なのかまったくわからない。

もはや数秒後には破裂するぱつんぱつんの水風船のような状態で、早足もできず、内股でそろり、そろりとホテルの庭をさまよっていると、前方を日本人らしき男が歩いている。あの、すいません、トイレ、トイレはどこですか、私は叫ぶようにして訊いた。男は驚いてふりむき、おそらく、淡い外灯に照らされる私の形相がよっぽど切羽詰まっていたのだろう、何も訊かず、肩を貸すようにして私をホテルのトイレに連れていってくれた。

人心地ついてトイレから出ると彼はそこにいて、これから飲みにいこうと言う。用もすんだし、ナンパする手間も省けた。いこういこうと私たちはホテルを出、近くにある飲み屋に入った。ネパール焼酎をすすり、水牛の串焼きなんかを食べて、初対面の旅行者が交わす一般的な話題でもりあがり、酔っ払って打ち解けて、いい気分で閉店まで飲み続けた。

帰り道、彼は私を宿まで送ってくれた。町はぽつりぽつりと街灯があるきりで暗く、静まりかえっている。私の泊まっている宿が見えてきて、ここまででいい、と礼を言おうとして彼を見ると、彼はなんとなく落ち着かないようすである。先程の、尿意に支配された私とよく似ていて、小さな声で、「部屋にいってもいいですか」と言う。「ああ、**おしっこ？　おしっこしたいんですか？**」私は訊いた。彼は首をふり「もっと話しませんか」もじもじと言う。話すのはかまわないが、私の部屋に酒はないし、このあたりにも酒屋はない、話していて酒が切れたらしらけるだけだと私は言った。だから今日はもう寝よう、と。彼は黙り、傍らの崩れかけた壁を掌でいじっていたが、ふと顔をあげ、はたと私を見据えて、何ごとか決意したような、小さく、しかし凜《りん》とした口調で言った。

「やらせてください……」

その言葉の響きはなんというかひどくまっとうで、健全で、清潔ですらあり、ひとつ返事で承諾するべきことがらであるような気が一瞬した。けれど、頭のどこかで、いや、そんなもんじゃないだろう、やらせてください、はいどうぞでは、今までまがりなりにもつらいことや悲しいことなんかを三十年ほど乗り越えて生きてきた意味がなかろう、とも思い、しかし無下に断るのも気の毒だ、などと、私は酔いつつも混乱、狼狽し、必要もないのになぜか彼を気遣い、我ながらまったく意味不明だが「いや、もう少し私が若ければよかったんですが……」と、言っていた。

それを聞いて彼は、これまた理解不能な展開だが急に激昂し「それ！　いったいどういうことです？　今だって若く見えるし！」などと声を荒げ、この時点で、おたがい何を話し合っているのかわからない状態になっているのだが、「若く見えても若くはないんですがねえ」「でも若かったらっていうのはおかしいっす！　どう考えても！」「それは言葉のあやで」「あやってどんなあやっすか」と、暗闇にひとすじ、街灯の淡い明かりが射すなかで、初対面であるため律儀に敬語を駆使して言い合い、結局喧嘩別れのようにして別れた。

しかしひとり帰った宿屋の入り口は鍵がかけられていて、ドアをどんどんと叩きながら、開けてくれ開けてくれと騒がなければならず、そうしながら、再び尿意がこみあげてくるのを感じ、やらせてくださいと言った彼の顔つきと、きっと今の私のそれはひどく似ているんだろうなんて、思ったりした。

＊

まったくひどい方向音痴で、着いたばかりの町は、まるまる三日間ほど足を棒にして歩きまわらなければ町の成り立ちを覚えられない。その日もぐるぐるとベトナムのニャチャンの町を歩きまわって、どこかへ向かっているんだかただ迷っているのだかもうとうにわからなくなっていた。

そんなおり、日本人男が迷ったのかと声をかけてきてくれたのだから飛び上がりたいうれしさだった。彼は近くにあったレストランに連れていってくれ、私たちはビールを飲みながら話をした。ビールは冷えていて、泣きだしたいうまさであった。

彼は私より年下だったが、旅行者ではなかった。水産関係の仕事でしょっちゅうこの町へきていて、このあたりには詳しいのだと言った。今いる場所と、私の宿の位置と、町の中心の相互関係を教えてくれたあとで、詳しい地図を持っているから、もしよければこれから自分の泊まっているホテルまでとりにこないか、と彼は言った。それ、どのくらい詳しいの？　私は訊いた。彼は私の持っているガイドブックを指して、この本の地図は嘘ばっかりだとけなし、これじゃ迷わないほうがおかしいんだと力説した。

そうか！　目から鱗が落ちるとはまさにこのこと。私が方向音痴だったんじゃない。地図が間違っていたんだ。今まで訪ねて歩いた数ヵ国、無数の町、十割の確率で私は迷い続けてきたが、持ち歩いていたのはいつも同じシリーズのガイドブックだったのだから、こりゃ私が悪いのではなくガイドブックが悪いと考えるのは当然だった。謙虚すぎた。何しろ、あんまりにも地理に疎く覚えが悪いから、右脳左脳どちらかに損害があるのかと、かなり深刻に思い悩んでいたのだ。

彼が泊まっていたのは私の宿より格段に豪華で、私はハノイからずっと南下してきてニャチャンにたどり着いたわけだが、かようなホテルには足を踏み入れる機会がなかったので浮かれ、絨毯の上でスキップすらしかねない勢いで男のあとについていった。

部屋に入り、男が荷物をひっくりかえして地図を捜しているあいだ、そこしか座るところがなかったので、ベッドに座って部屋じゅうを見まわしていた。テレビ、冷蔵庫、清潔な窓ガラス、清潔なクロゼット。

突然、男はふりかえったかと思うと無言でこちらに突進してきて、何が起ころうとしているのかまったく理解できないまま、気づいたら私はベッドの上に押し倒され、呆気にとられ声も出せず、男に組み敷かれる格好で天井を見ていた。いやーん天井も清潔、なんてそのときはもちろん思わなかったが、とにかく、自分が**押し倒されている**という事態に仰天し、その清潔な天井を見つめるくらいしかできなかった。

一秒以下くらいのすばやさで状況を理解し、やばい、と思うのと、できるならおっぱいも触られず唇も奪われずこの場を切り抜けなければ、と思うのとほぼ同時で、では何をすべきか、どうすべきか、そんなことを考える前に、私は男に組み敷かれたまま笑い声をあげていた。

「**ぎゃははははは**、ちっと、苦しいって、**ぎゃははははは**」

おかしいことなんか何もなかった。必死だった。泣く、叫ぶ、抵抗する、闘う、馬鹿みたいに笑う、この場でとるべき態度の中で、一番効率よく男のやる気を萎えさせ、かつ私にできそうなのは、もっとも消極的な「馬鹿みたいに笑う」しかないと本能的に悟ったのだった。案の定、柔道の技かけみたいに私を組み敷いたまま男は動きを止め、胸ももみしだかないし短パンもずりおろそうとしない。

そうだ、いいぞ、笑え、もっと声高らかに！　溌溂《はつらつ》と！　みずからを励まし腹に力をこめる。

「ぎゃーっはははははっはははははっ、あー息が、息ができないっ」

緊張のあまり必要以上の大声が出て、なおかつとまらない。腹が痛み、涙が流れる。火事場の馬鹿力、修羅場の馬鹿笑い。

異常事態発生のため、明らかに男は戸惑っていた。理性がちらつき、恥じらいを感じ、まじでやっちゃっていいのかよ?系の根本的疑問があふれ、そして、涙を流して笑う女に恐怖すら感じはじめているに違いなかった。叫ぶようにして笑っていた私は本当に呼吸が苦しくて、ゴボゴボゴボッ、と勢いよく咳きこみ、咳きこんでは笑い、そしてまた咳きこんだ。清潔な部屋に、雄叫びに近い異様な笑い声と咳が響き渡る。

男は何ごともなかったかのように私から離れ、ふふふっと笑い、「地図、なんか見つかんなくて」と言った。「あ、いいっすよ、いいっす、しょうがないっす」言いながら私は後退り、「ではまた」言ってあわてて部屋を出た。笑いはぴたりとやんでいた。

さっき男に教わったばかりなのにやっぱり自分の宿には帰れなくて、路地から路地をぐるぐる歩きながら、おっぱいも触られなかったし唇も奪われなかった、言葉が通じるってないいことだ、不幸中の幸いだ、ひとりつぶやき、はたと気づいて立ち止まる。詳しい地図なんかないいんじゃん。私はやっぱり、ただの方向音痴ってわけか？　そう思ったら急に怒りがこみあげてきて、凌辱すらされた気になって、「乗る？　安いよー」などと声をかけてくるシクロドライバーに、「乗らなくたってひとりで帰れるよ！」と、八つ当たり気味に叫ぶのだった。

ナマグサ

緑濃い林の中に、白い釣鐘型の塔が建っている。スリランカの遺跡の町、アヌラーダプラ最古のダーガバ、とガイドブックには書いてある。

靴を脱ぎ境内に入ろうとすると、入り口の小屋に座っていたまだこどもの僧が、ドネイション、と書かれた箱を指して、いくらか入れろ、と言う。小銭を出して箱へ入れると、のばした私の手に彼がふと触れた。？と思って彼を見るとにこりと笑う。あどけない笑いである。私もなんとなく笑い返して、境内へ足を踏み入れた。

南方仏教国の寺はどこもそうだが、境内にはいるときは靴を脱がなくてはならない。コンクリートや土やアスファルトは日に焼けて驚くほど熱くなっていて、飛び跳ねるようにして移動しないといけない。スリランカでもそれは同じで、白いダーガバの周囲を飛び跳ねては日陰に走りこんで足の裏を冷やし、また意を決して陽射

しのなかへ飛び出していく、そんなことを続けていた。

ひょろ長い菩提樹《ぼだいじゅ》の下の日陰で、そうして足の裏を冷やしていると、先ほど入り口にいた僧がものかげからこちらを見ているのに気がついた。目が合うと、おずおず、といった感じで近づいてきて、「写真を撮ってほしい」と言う。いいよ、と答えて私は彼の写真を撮った。

「いくつなの？」訊くと、十五歳だと言う。それから、写真を送ってほしいと彼は言った。住所を書いてくれるように紙とペンを渡すと、しばらくペンを手に白い紙を見つめていたが、

「自分には書けないのであなたが書いて」

と言って私にそれらを返した。彼の言う名前と住所をとりあえずローマ字読みで書き写す。紙にペンを走らせる私の手に、また、そっと彼は触れる。

「何？」顔をあげて訊くが、彼は照れたようににこりと笑うだけで何も言わない。それでも私がふたたび目線を落として住所を書きはじめると、私の手を触ってくるのである。

十五歳か、と私は思った。いったいいくつから親元を離れているのか。橙の袈裟

を着て親と離れて暮らし、いくら戒律の厳しい仏教徒といってもまだまだ親が恋しい、さびしい年ごろなんだろうなあ、彼があんまりにも私の手に触れようとするので、そんなことを考えた。はにかむように笑う彼はまだ充分あどけなく見えたし、声だって大人のそれに変わりきっていなかった。

写真を送るよ、そう約束して、私は境内を出た。境内を出て、次にいこうとしていた遺跡の場所がわからないことに気づき、引き返してさっきの少年僧に道順を訊いた。彼は小屋から出てきて、案内してあげるよ、すぐだから、と言って私の先を歩いていく。

寺の裏手には、木々と雑草の合間に、宮殿の跡だの王妃の建物跡だのが点在していて、しかし宮殿や王妃とかといった言葉とはずいぶんかけ離れた、朽ちかけたガードストーンやムーンストーン、石塔や原形をとどめないほど崩れた石仏なんかが、瓦礫みたいに散らばっている。そのあたりはまったくひとけがない。少年僧はそのなかをずんずん進んでいく。そしてふと、背の低い灌木《かんぼく》のわき、もとはなんだったのか、長方形の石が横たわっている場所にふいに座りこんで、隣を指し示し、ここに座ろう、と言う。

彼が座ろう、というその場所は、木の陰であり、ひどく窮屈な場所であり、恋人同士がこっそり接吻を交わすにはもってこいだけれど、道に迷った旅行者と戒律の厳しい仏教徒（しかもこども）が座るのはどう見たって不自然である。

「そんなところに座りたくない。自分で捜すからもう案内しなくていいよ」

私は言って、彼に背を向けて元きた道を引き返しはじめた。すると彼はすっ飛んできて私の腕をつかみ、

「あんたの見たい遺跡はこの奥にあるんだよ、いこう、つれていくから」

と言い、いったい彼にどんなスイッチがあって、どういう理由でそのスイッチがオンになってしまったのか、私にはまったくわからないがとにかく彼は明らかに興奮し出し、

「こっちだよ、大丈夫だよ、ちゃんとつれていくから」

鼻息荒く言って私の手を引こうとするのだが、手を引く、というより、掌や腕や肩にべたべたとさわってくる。

「さわんな!!」私は怒鳴った。「あんた、仏教徒でしょうが!!」

こう言えば彼も我に返るだろうと思っていた。しかしそれを聞いて彼は首をふ

り、なおも荒い息を吐き出しながら、

「そんなこと、どーでもいーんだよ……」

そう言って逃げ腰の私に近づいてくる。

十五歳である。声変わりもせず顔つきには少年らしさが残っている。背丈だって私より低い。そうして橙の袈裟に身を包んでいる。それなのに、彼は今や身もだえしながら襲いかからんばかりである。ああ、親元を離れてだの厳しい戒律だの、勝手に想像してほのぼのしていた私は馬鹿だった。

ナマグサ、というけれど、実際、こどもと大人の中間、聖と俗の中間にいるはずのその坊主は、本当に生臭く見えて、のびる彼の手をふりはらって逃げ、数メートル離れて彼がそれ以上迫ってこないのを確認し、一刻も早くひとけのある場所へと急いだ。

「ねえ!」遠くにいる彼がこちらに向かって声をあげた。無視して歩き続ける。

「ねえ! ジキジキって知ってる?」彼は遠ざかる私に向かってそう叫んだ。無視。無視。しかしやつはめげない。

「ジキジキ知ってる?」無視。

61　ナマグサ

「**ジキジキ知ってる？**」無視。

「**ジキジキ知ってる？**」

ふりむくと、寺の前、木々の合間から少年僧の着る袈裟の橙がちらちらと見え隠れしている。彼は気が違ってしまったかのように、その一言を叫び続けている。

「あんた、頭おかしいよ**!!**」わたしは叫び返したが、それはどうやら無駄な行為で、

「ねえ、**ジキジキ知ってる？**」壊れたレコードみたいに彼の声は響き続けた。

広大な場所に遺跡が散らばっている。首のとれた仏像や、輪廻を描いたムーンストーンや、まっすぐ空にのびる石塔や、生と死を示すレリーフや。雲のひとつもない濃い青の空に、くっきりとまぶしく白いダーガバがそびえている。清潔な青空、緩やかな風、遠く秩序よく並んだ椰子の木々。遠く、緑の木々と白い仏塔の合間に見え隠れする、橙の色の神聖な袈裟。彼は叫び続ける。**ジキジキ!!**　**ジキジキ!!**　**ジキジキ!!**

それがたとえば日本語だと、こんな声が広大な遺跡群のなかに響き渡っていることになる。

「セックス知ってる？」

「セックス知ってる？」

「セックス!!　セックス!!　セックス!!」

十五歳の少年僧のその叫びは、何千年の昔からそこにあり続ける、枯れた遺跡群の合間を駆けめぐって、それらにゆっくりと吸いこまれていく。

超有名人と安宿

バスや列車を降りるなり、宿の客引きに取り囲まれるというのは、アジアではひどくありきたりな日常のひとこまであるが、この場合、いろんな誘い文句がある。いろんな、といってもたいがいが、うちは安い、きれい、町の中心から近いのに静か、ホットシャワーもついてるよ、というのが常套句で、みんな口々にそればかりをくりかえす。そんな人が五人も十人もいるのだから、もっと独特な宣伝文句を考えればいいのに、そういう方向に思考の回路は開いていないらしく、ただ声高に同じせりふを叫ぶばかりである。そうして連れていかれた宿に実際、うひゃっとうなってしまうほどきれいだったり静かだったり、何か特典がついていたりすることはめったにない。だから私は彼らにはけっしてついていかない。

そんな私でも、思わず足を止めた客引き文句がある。

ミャンマーの、首都ヤンゴンから一時間ほど列車に乗った、小さな町でのこと。宿は数軒しかなく、列車を降りても、客引きの姿はなかった。自転車タクシーの男たちが、どこまで？　乗る？　と、果てしなくやる気なさそうに声をかけてきたきりで、そのことになんとなく安心して、地図を片手に宿のかたまってある場所へと向かって歩いた。

安食堂の前を通ったとき、歩道に向けていすを出し、そこに座っていた男が声をかけてきた。

「日本人？　うちに泊まっていかない？」

足を止め、見上げると食堂の上が宿になっている。

「一泊六ドルのところを五ドルにしといてやるからさあ、泊まっていったら？」

私はなんとなく決めかねて、だらしなくいすに腰かけて茶をすすっている男をぼんやり見た。男はじろじろと私を眺めまわし、決めかねているらしいようすなのを察知したのか、しずしずと手招きをする。おとなしく私は彼のそばにいった。

「あのねえ、うちのホテル」男は大事な秘密を打ち明けるようなおももちで言う。

「ナカタとカズが泊まったんだよ」

「へっ？」私は聞き返した。

「知ってるでしょ？　ナカタとカズ。フットボール選手の。日本人なら知ってるよね？」

「はあまあ……」

「いい選手だよねえ、彼らは。彼らが泊まったホテルなの、うちは」

男はひどく自慢気にそう言った。絶句している私をちらりと見て、彼は言葉を続ける。

「彼らの泊まった部屋に泊まりたいっていうのなら、そうしてやるよ？　今日は両方とも、空いてるし」

「うっそだあ」私は言った。

「ほんとだよ」彼は間髪いれずに言う。「ナカタっていうのは、あれだろう、細長くて、髪が金色なんだ、それでカズってほうは、彼よりちっこくて、髪が黒いやつだろ。オフで遊びにきて、それでうちに泊まったんだ」

彼は鼻の穴を広げてそう言い、茶をすする。ふと、彼の言っていることは本当かもしれないと私は思った。ミャンマーで、日本人選手の知名度があるほどサッカーが盛んなようには思えなかったし、それまで、幾度か人の家に呼ばれたり町のあちこちで食事をしていても、テレビという代物をあんまり見かけなかったので、カズが黒い髪でナカタが金髪だとどうしてこの男が知っているのだろうと思ったのだった。

「二人は泊まって、どうしたのよ？」私は訊いた。

「泊まってさ、次の日、長距離バスでマンダレーにいったよ」

「マンダレーに？　何しに？」

「さあ。観光にじゃないの？」

私はそこで笑い転げたいのを必死におさえて、わかった、あんたの宿に泊まる、と言った。男は部屋に案内してくれながら、

「カズとナカタの部屋じゃなくて本当にいいの？」

と念を押していた。

「いい、いい、五ドルにしてくれるだけでいいよ」

私は言った。

日本を代表する、世界の人が知っているフットボールプレイヤーが、休みに二人

なかよくこの小さな町を訪れ、一泊五ドルの宿に泊まり、飛行機でもなく列車の一等車両でもなく、バックパッカーと地元の人で混んでいる長距離バスでマンダレーにいって観光する、というのは、話としてはとんでもなくロマンチックではないか。私は客引男の特異なセンスに脱帽し、ナカタとカズが浴びた宿のシャワー、とつぶやきつつ水しか出ないシャワーを浴び、ナカタとカズが眠った宿のベッド、とつぶやきつつ埃くさい、清潔とは言いがたいベッドで眠り、深夜部屋の中央に出現した巨大ゴキブリを、おお、ナカタとカズを目撃したのであろうゴキブリ、とつぶやきつつ懸命に追い払った。

旅トモ

こちら側の年齢とか体調とか、精神状態とか、もしくはいく場所の選択とか、ある旅が自分にとっていいものになるためには様々な要素が必要なのだろうけれど、旅でどんな人々と出会えるかという問題になると、これはもう、百パーセント神様まかせの運である。

日本人旅行者と仲よくなる機会が多いのは、圧倒的にアジアを旅しているときである。アジアの、ある町に四日、もしくは十日、もしくは二週間、それくらい滞在していると、自然とその町にいるほかの日本人旅行者と顔をあわす機会が多くなる。なかには、「絶対に何が起ころうとも——暴動が起きようが天変地異が起きようがとにかくおれには話しかけないでくれ」という気配を濃厚にただよわせたワイルドな旅行者もいるにはいるし、完璧に話の合わない人種もいないわけではない

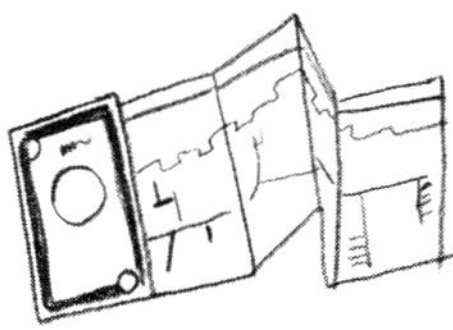

が、それでも私にしてみれば、ほかの言語を駆使する必要がなく、声に言葉をのせた瞬間ほぼまちがいなく通じる相手がいるということはひどくありがたく、貴重なことがらである。

ここについてどれくらいになるのか、どこをまわってこれからどこにいく予定なのか、泊まっている宿はどこか、おいしい食べもの屋はどこか、旅行者同士が交わすだろうほぼ基本的な会話ののち、相手がそれほどやっかいな人物でないとおたがいに判断するともちろん、晩ごはんでも一緒に食べましょう、ということになる。

たいがいの旅行者は言葉の通じないジレンマを少なからず感じ、もしくは使い慣れた言葉に対する飢えを少なからず抱き、膨大な時間、それをひとり独占していることに喜びつつ同時に飽きてもいる。それでなんとなくわくわくと言葉を交わして晩ごはんを食べ、ビールをいつもより多く飲み、笑ったりはしゃいだり、その町と人々に対して悪口を言ったり褒めちぎったりする。ふだんの生活ではめったに口にしないような、まじめなことをほろりとしゃべってみたりもする。

狭い町なら次の日も会う。前の晩に気が合ったことをおたがいに確認しあっていれば、また一緒に食事をすることになる。こんなふうにして、気づくと見知らぬ町の、見知らぬ人々が聞き慣れない言葉をしゃべる場所で、いつしか友達が数人できている。それまで食べたこともなかったものを、いつも食べていたもののように口にしながら、薄かったり濃かったりするビールや、きつかったりあまかったりする地酒を流しこみ、おたがいの地図で交差しあった見知らぬはずのだれかと親しく話しこんでいる。

ホーチミンで知り合ったYくんと、SとNのカップルも、そんなふうにして仲よくなった。ひとり旅を続けて一年ほどが経つYくんと、日本でともにアルバイトをしてお金をため、半年前に旅に出てきたカップルは同じ宿に泊まっていて、三人でよくお茶を飲んだりごはんを食べたりしているのを見かけた。彼らと私は自然と言葉を交わすようになり、いつのまにか私たちは一緒に食事をするようになった。

会うための約束なんか何もいらず、ただ町角でお茶を飲んでいると彼らのうちのだれかしらに会った。市場をぶらついておもてに出ると、角の屋台でYくんが肩を落としてコーヒーをすすっており、闇両替でだまされて（彼にとっての）大金をなくしたと言う。あまりに落ちこんでいるので私もどこかしんみりして、Yくんの話す、見事としか言いようのない闇両替屋の手口に聞き入っていると、おしゃれした

ＳとＮが通りかかる。これからディスコへいくと言う。

どろりと甘いベトナムコーヒーをすすりながらカップルと私でＹくんを慰めているうち、なんとなくおかしくなってきて、いつのまにかそれは笑い話になっている。私たちは腹を抱えて笑い、結局そのまま、いつもの店へ飲みに出かけることになる。ディスコへいくためにおしゃれしたＳとＮも、大金を持っていかれたＹくんも、薄い自家製ビールをしこたま飲んで、貝だの魚だのを網で焼いて、昨日とまったく同じように、げらげら笑い、騒々しく話し、町を覆う闇が次第に濃くなるまでそうしていた。

いろんな話をした。日本でのこと、旅に出る前のこと、旅の途中のこと、旅のさなかの恋人同士の関係というもの、長旅に出た相手を日本で待つ恋人のこと。笑いすぎてコップを倒し、ビールをテーブルにこぼしたあとで、額を突き合わせて至極まじめに言葉を交わすこともあった。もし、長いつきあいの友達同士だったら絶対に口に出せないような、はずかしいほど真剣な言葉も、前後のつながりがいっさいなく、今、ここ、という一点でつながっている彼らには、すらりと話せるのだった。

広場をぐるぐるまわるオートバイと、シクロとおんぼろ自動車が次第に影をひそめ、屋台は店仕舞い、飲食店も次々にシャッターをおろしはじめると、カップルは連れ立って帰っていく。宿の部屋に戻っても、眠るか、本を読むかしかないひとり旅の私とYくんはまだねばって、開いている店を捜し、ふたたびビールを飲みはじめ、町じゅうが静まりかえるまで話した。

飲みすぎだ、もうビールは売ってやらない、と店の人に追い出されるまでビールを飲み続け、意味のあることやないことを散弾銃のように話しながら、橙の街灯がぽつぽつと暗闇を指す町を、騒々しく話しながら歩いた。明日だってまた会えるのに、まだ話し足りなくて、とうに入り口を閉ざした私の宿の戸を二人でがんがんたたいて開けてもらい、ぬるくなった瓶ビールを飲みながら部屋で夜明けまで話しこんだ。

土埃が舞い上がり、観光客と、それをあてこんだ物売りたちと、地元のグループ連れとでごったがえすホーチミンの通りを歩き、どこかに彼らの姿を捜しながら、これは何かに似ている、と思う。何か、はすぐに思いあたる。こどもだ。この町にいる私たちはこども的なのだ。約束もなく、束縛もなく、夕方がきて家に帰ってし

まうまでの、どこかでだれかに許されていた、あの短い瞬間みたいなのだ。だからこそ、見知らぬ国の見知らぬ町角で出会った私たちは、恋愛も友情も入りこむ余地がないほど、刹那《せつな》的に楽しい。

　その町を一番最初に離れることになっていたのが、私だった。これからも旅を続けていく彼らとは違い、そのまま帰国することになっていた。その前日、私たちはやっぱり四人で一緒に飲んだ。まったくいつもと同じように笑い転げているさなか、カップルの女の子、Sが突然、「帰るのやめたらいい」と真顔で言った。

「チケットいくらでも延長できるよ。手続きが面倒だったら私がやってあげる。来週私たちメコンデルタまでいくツアーに参加するの。それ一緒にいこう。二泊三日だから、一緒にいこう？」早口で言い、しばらくして彼氏のNが、「おまえそういうこと言うのやめろよ」と、静かな口調で言った。

　旅先で仲よくなった日本人旅行者と、もちろん住所の交換はするが、私はあまり連絡をとったことがないし、またもらったこともない。旅の向こうは広大な遊び場で、私たちはおずおずとそこに足を踏み入れるちいさなこどもだ。運がいいと、自分と同じようにその場に立ちすくんでいるほかのこどもに会える。ずいぶん前から知っていたような安心感があり、何を言っても笑われないような寛容さがあり、だれにも言えないことを打ち明けたくなる信頼感がある。こども特有の切実さで私たちは新しい友達とそれを共有する。だからこそきっと、私たちは帰国してから連絡をとりあわないのかもしれない。家に帰ってしまったらそれはもう共有できない時間なのだと、こども的にきちんと知っているからなのかもしれない。そしてアジアは、私たちがそんなこどもに戻ることを、とことん許している奇特な場所である。

行動数値の定量

人には一生ぶんに与えられた定量というものがあるのではないかと、思うことがある。たとえばそれは運の定量である。これはときおり言われることではある。手持ちの運を無駄にしないために、けっしてギャンブルをやらないという人もいる。何かがすでに、決められた量だけ与えられていて、一生かかって人はそれを使っていく、という考えかた。

恋愛の定量、諍《いさか》いの定量、我慢の、苦楽の、馬鹿笑いの、そんなふうに考えたらきりがないし、正解はだれも教えてくれない。しかし私はそういう考えかたがそんなに嫌いではない。

こどものころの私は本当に泣かなくて、親さえもがその泣かなさ加減に驚いていたのだが、現在の私は十五秒のコマーシャルを見ていて泣くことがあるくらいよく

泣く。友達に映画のストーリーを聞いていても、それがいい話だと泣くし、自分でだれかの小説のあらすじを説明していても泣けてくることがある。涙にも定量があるのではないか、と私は思う。幼いころ使わなかった涙腺を今現在使っているのではないか、と。

最近は、人の持つ「行動力」にも定量があるのではないか、といぶかしんでいる。

旅といえばたいがいひとりである。これはもう慣れっこだ。ひとり旅が好きだ、という以前に、私とまったく同じスケジュールを組める友達なり知人なりがいないのである。会社勤めをしている友達に一ヵ月の休みをとることは不可能だし、たとえ同業者であっても二週間が限度であり、よっぽどはっきりした目的がなくては、同じ場所へあるまとまった期間いくことは不可能なのではないかと思う。だからだいたい、どこかへいこうと思い立つときはひとりであることが前提になる。

来週からどこそこへいってくる、と友達に告げると、一部の友達をのぞいて、たいがい、本当にあなたは行動力があるねえ、と言ってくれる。私はそれを否定しない。あいまいに笑う。

旅先でも言われる。ひとり旅だと言うと、食堂の店主もゲスト・ハウスのオーナーも、カップルで旅をしている欧米人にも言われる。勇敢だねえ、行動力があるねえ、と言われて、それも私は否定しない。あいまいに笑う。自分がひどく行動力のある、勇敢な女である気がしてくる。

しかし、何をもって行動的であるというのか、そのたびに私は首をかしげ、彼らの価値基準や平均値や、それからその人の持つ行動力の「定量」について考えてしまうわけである。

たとえば、屋台で隣り合った欧米人のカップルが、私がひとり旅であるというのを聞いて、勇敢だねえ、行動的だねえと感嘆するわけだが、彼らの話を聞いてみると、バンコクのカオサン通りで買った百円ほどのビーチサンダルのまま、果てしなくロック・クライミングに近い山登りをしていたりする。もしくは、三年くらい平気で故郷に帰らず、二人であっちこっち旅してまわっていたりするのである。それが、皮肉でもなんでもなく、ひとりなんて偉いわねえ、さびしくならない？　などと真顔で訊いてくるわけで、私にしたら、何か根本的な価値観がひどくねじれているような気がしてならない。

それからまた、ひとり旅なんて冗談じゃない、あなたはよっぽど行動力があるのだ、と深く感心してくれる私の友人の幾人かについても、疑問に思うことがある。

たとえばある友人（女）は、仕事帰りにひとりで吉野屋にいって、むさ苦しい男たちで混んでいようがなんだろうが涼しい顔で席に座り、牛丼を食べず、ビールとお新香だけ食べて出てこられるのである。あるいは、これまたべつの友人（ふたたび女）はやはりそうして焼き肉屋に入り、グループ席でたったひとりタンだのカルビだのミノだの焼いて、ジョッキのビールをぐびぐび飲んで店をあとにする。

こうした行為は私にしてみればとんでもない勇敢さである。ひとりで店に入る。牛丼屋で牛丼を頼まない。ひとりで肉を焼く。これを行動力と言わずしてなんと言うのか。

途中で切符をなくしたからと言って、ぴんぽんぴんぽんと鳴り続ける自動改札を強行突破して出てくる人もいるし、練習場所がないからといって町なかの駐車場の、柱の一本にゴールの絵を描いてバスケの練習をしている人もいる（ちなみに即刻バスケ禁止の貼り紙を貼られていた、でも彼はめげずに続ける）、とにかく、そんな彼らは、私から見たら異様な行動力の人々である。

これら友人たちのなかで「行動力がある」と言われる頻度のもっとも多い私はといえば、ひとりで旅に出る以外、ほとんどのことをやらない。やらないと言うべきなのか、できないと言うべきなのか、自分でも迷うところではある。やらないと言ってしまえば自堕落なようだし、できないと言えば軟弱みたいである。どちらにしても、行動に移すパワーがことごとく欠如していることは確かだ。

こういう女性は多いが、私もまた一人で飲食店に入らない。一人で映画を観にいかない。コンサートやライブのチケットをみずから買ったことがない。買いかたがわからない。どう調べていいのかわからないから調べもしない。興味のある絵画展やイベントがあってもそこへのいきかたがわからなければいかない。時刻表が読めない。読もうとしたことはあるが、暗号が書かれているとしか思えない。東京に長く住んでいるが乗り換えがわからない。路線図だの時刻表だの理解できないものを理解しようとつとめて眺めていると胃がきりきりしてくる。ビデオ屋もみずから会員にはならない。なぜなら私には目当てのビデオを捜すことができない。監督別、役者別、あいうえお順、入り混じっていて文字を目で追っているとこれまた胃がきりきりしてくる。

そうすると、行動が非常に狭まってくる。決まりきった場所しか移動せず、決まりきったことしかしなくなる。

電球が切れかけていても取り替える術がわからなければそのまま放置し、ワインのコルクにオープナーを突き刺したものの抜けなければそのまま見なかったことにして台所の隅に隠すようなことを続けて、日々暮らしているわけである。

ここで私は、行動力というものの定量について立ち戻って考えたい。

冒険家とか探検家とか、そういった職業の人はのぞいて、私たちのような一般市民の持ちえる行動力はおそらく定量が決まっていて、しかも、みんな似たり寄ったりなのではないか。それを私たちは、日々貯めたり使ったりまとめ出ししたりして暮らしているのではないか。見知らぬ国の飛行場から見知らぬ町へ向かうバスになんの躊躇もなく乗れる私は、一生涯にけっして、ひとりで吉野屋にいきビールとお新香だけ頼むことはないであろう。ひとりでタンやミノを焼きビールを飲み干す女友達もけっして、異国の屋台で隣の席の客が食べている、得体の知れない料理を指差して注文することはないだろう。どちらも同じ行動力であり、同じ勇敢さに違いない。

そんなことを考えると私はほっとする。私が日々ささいな困難にぶちあたり、そのほとんどの解決をあきらめて、見なかったことにしたり知らなかったことにしたりして、おのれの行動範囲をどんどん狭めていくのは、数人の友達が言うようにけっして自堕落なのでもなければ、小心なのでもなく、面倒くさがりでもなく、ひとりで旅をするための行動力を温存しているのだろう、うん、きっとそうなのだろう。

ツーリスト・インフォメーションの部屋にて

どうしても苦手、ということがらがある。クラシックを聴くと無性に眠くなる人もいれば、遠くに警官の姿を見ただけで意味もなく逃げようとする人もいる。苦手部門はだれにだってあるはずだけれど、クラシックや警官の場合はあんまり実生活にさしさわりがないからさほど困ることはないような気もする。

私の場合、地理的なことに滅法弱い。そのくせ旅好きだから始末が悪い。はじめて降り立つような場所で、自分が今いる場所が地図のどのあたりに位置するのか、もしくは、A地点からB地点までいくためには、どのような方法がもっとも近くて安いのか、そういったことが私にはまったくわからない。本当に、自分でも異様に思えるほどわからないのだ。

だからはじめて降り立つ町で、かならず迷っているあいだに二日は過ぎていく。

その町の地図をポケットに入れて、あやしくなるたび店や民家の軒先でこっそり広げ、地図をくるくるとまわして、自分のいる位置を確認しようとし、結局それができず（なぜなら通りと通りの名前をめでたく地図のなかに見つけられたとしても、どっちが北でどっちが南かわからないのだ）、二、三十人の人に訊きながら歩きまわって、そんなことをしているうち陽が暮れて、へとへとに疲れて宿の近くでビールを飲む、ということをくりかえし、ようやく、三日目か四日目にその町の図形を理解するのである。

そうして移動ということになるとまたたいへんな思いをする。電車なら何時に駅へいけばいい、所要時間は何時間だから目的地には何時につく、バスならば何時にバス停へいけばいい、とこう書くとじつに簡単そうで不思議な気がするのだが、そういうことを系統だてて考えることが私にはできない。しまいにめんどうくさくなって移動そのものを中止することもある。

アジアという場所は、こういう種類のニンゲンに非常にあたたかいところである。往来で地図を広げただけで、どうした、迷ったのか、どこへいくのだ、と声をかけてくれる人もいれば、くそ暑いなか、自分の仕事もほうって私を目的地まで連れていってくれる人もいる。移動の際もしかりで、目的地さえ告げれば、乗る電車やバス、座席まで教えてくれ、乗りかえたり下車する場合には近くの人がきまって、おりなさいと手振りで示してくれる。だから私はいつも、アジアの国々を訪れるたび、無数の人々によって自分が運ばれている気分になる。

そのとき私はミャンマーの、マンダレーという町にいた。次に目指していたのはバガンという遺跡の町だった。その町へは直通の長距離バス、もしくは列車プラス乗り合いバスという二通りのいきかたがあり、バスのほうがはるかに快適で安い、ということは知っていた。しかし、バス停がどこなのかわからず、バスが出発する九時に起きることができなかった。そうなると列車移動しかない。ここからがまた問題で、どこまで列車でいって、何時につくのか、そこから出るバスは何時が最終なのか、私の非常に苦手な分野になってくる。結局どのようにすればスムーズにいくのかわからないまま、鉄道駅へ向かった。

マンダレーの鉄道駅には、ツーリスト・インフォメーションと書かれた部屋がある。しかしそこはツーリスト・インフォメーションと書いてある部屋でしかないことは、この町に着いたときから知っていた。六畳ほどのコンクリートの部屋に、おじいさんが一人座っていて、壁に地図がはってある。町の地図をください、と言うと、おじいさんは、ない、と答える。町の地図はスワン・ホテルでもらってくれ、と言う。マンダレー・ヒルという観光名所にいきたいんだけど、と言うと、おもてに出てサイカー（人力タクシー）をつかまえなさい、と言う。〇〇ホテルにいきたいんだけど、と言うと、壁の地図をさして、ここだよ、と言う。地図を持っていたって迷う私に、壁にはられた地図を覚えてホテルまでいくなんて芸当ができるわけがない。おじいさんはなんのインフォメーションも与えてくれないのだった。

だから私はその小部屋を通り過ぎ、駅員の部屋を捜して、バガンへのスムーズないきかたを尋ねるつもりだった。ところがホームに面したツーリスト・インフォメーションの部屋からおじいさんは私を見つけ、ひょこひょこと出てきて、「もうこの町を出るのか」と訊いてくる。「はい」と私は答えた。

「次はどこへいくのか」

「バガンまで」

「どうやって」

「ターズィまで列車でいってバスで」

おじいさんは眉間にしわを寄せ「なんで長距離バスでいかない?」と訊く。「長距離バスならまっすぐバガンなのに」

「朝のバスに乗れなかったんです」私は言う。

「昼のバスだって夜のバスだってあるだろう」

「えっ、何時に?」

「さあ」そう言ったきりおじいさんは私を見つめている。

「やっぱりターズィまでいきます」私は言った。

「ターズィいきの列車なら昼過ぎにあるけど、そんなら今日のうちバガンにはいけないよ。ターズィで一泊しなきゃ」おじいさんははじめてインフォメーションらしきことを言った。

「じゃあ一泊します」

そう答えると、おじいさんは手招きをする。インフォメーションの部屋へ私を招きいれ、自分の腰かけた机の向かいの席をすすめる。部屋のなかは暗く、涼しかった。

「あのねえ、ターズィなんて、なあーんにもないよ」

私を見つめておじいさんはそんなことを言うのだった。

「でも一泊しなきゃバガンまでいけないんでしょ」

「まあねえ。でもねえ、旅行者がいくようなとこじゃないよ、おもしろいものなんかないし。明日いけば？　長距離バスで」

「今日いきたいんです」と私は言った。明日になってまたバス停を捜したり時間を逆算して行動したりするのがいやだった。私はその暗い小部屋で、おじいさんと向かい合って座り、ガイドブックをひっくりかえして、「なあんにもない」というその町に、ホテルの一軒くらいあるだろうと捜してみた。ガイドブックには、ホテルはある、と書いてあったが、地図はのっていなかった。というより、その町の地図自体はなかった。なんとなくいやな気持ちになった。

こういうとき、私は心から自分の小心もの具合を実感する。地図がなくて迷うに決まっている、言葉も通じずホテルも見つけられないに決まっている、駅で眠ることになるに決まっている、野良犬に襲われるに決まっている、と、とめどなく思考がマイナス方向へ向かってしまうのだ。

「ほかのところへいけば？　いきたいところはほかにないの？」

ガイドブックをにらみつけている私におじいさんは言った。

「バガンのあとでバゴーにいくつもりだった」私は答えた。バゴーというのは首都ヤンゴンに近い、やはり遺跡の町である。

「じゃあバゴーにいったら？　バゴーいきの列車は夕方六時半に出るよ。それならまっすぐバゴーにいくから、乗りかえもないしね」

そう言うおじいさんの顔を見つめたまま私はしばらく考えた。

「まあゆっくり考えなさい」

おじいさんはそうつぶやいて、それきり、頬杖をして宙を見つめている。いつまでも、いつまでもそうしている。ホームの喧騒が不思議な遠さで小部屋に入りこんできた。どっちの町にいこうか決められず、ガイドブックを意味もなくめくっているその音が、自分の呼吸みたいに耳に届いた。

「ジュース飲みにいってくる」私は言って立ち上がった。おじいさんも無言で立ち上がる。インフォメーションの部屋に鍵をしめ、一緒におもてへ出た。

ホーム沿いに、二、三軒の屋台が並んでいる。そのなかの一軒でジュースを頼み、並んだパラソルの下のいすに腰かけ、私はまだ、ターズィで一泊するか、予定を変えてバゴーにいくか、考えていた。おじいさんは私の前で無言のまま、お茶をすすっていた。

奇妙な時間だった。私は考え、おじいさんは黙っている。屋台で働くこどもたちが、異国人の私をめずらしがって、近づいてきては離れ、遠くで笑っている。ホームに車体の黒ずんだ電車が入りこんできて、たくさんの人々をおろし、物売りたちが、窓から窓へ移動しながら、売りもののジュースや弁当を見せて歩いている。ふいに、どうでもよくなってしまった。ガイドブックを見ることも、乗りかえのことを考えることも、すべて。

「私、決めたよ。バガンじゃなくて、バゴーにいく。そのほうが簡単だもんね」

「そのほうが簡単だよ。夜寝て、朝目覚めたらバゴーだからね」おじいさんはうなずいた。

屋台を出て、おじいさんは私を切符売場まで連れていった。バゴーいきの切符を受け取り、何度も何度も座席や出発時間を確かめて、私に手渡す。それから私たちはもう一度インフォメーションの部屋に戻った。彼は机の向こうに、私はこちらがわに座る。

「出発時間は六時半だから、六時にここへくればいい。それまでどうする?」おじいさんは訊いた。まだ二時だった。じつを言うと、私は薄暗いその部屋に、ずっと座っていたかった。無言の老人と向き合って、一緒に宙を眺めて、そんなふうにして、時間を過ごしたかった。

「ここは四時で閉めてしまうんだ。それまではいてもいいけど、それでも六時まで二時間あるしね」

私の考えを読んだように彼が言った。どこへいこう、と私はつぶやいて、ガイドブックの地図を広げて見入った。というより、見るふりをしていた。おじいさんはふたたび頬杖をつき、視線を天井あたりにめぐらせている。ときおりかすかな風が吹いた。

どのくらいの時間そうしていたのか、おじいさんがふと、いいものを見せてやる、と言った。事務机の引き出しから、ビニール袋にくるまれたものを出す。そうっとビニール袋に手を入れ、中身をていねいに取り出す。

「家族」おじいさんは言った。「おとうさん」と言って机に置く。「おかあさん」と言ってもうひとつ。「むすこ」と言ってその真ん中に添える。それは小さな、親指の爪ほどの、銅製の鳥の置き物だった。父親は大きく、息子は小さかった。「家族なんだ」彼は自慢げに言った。薄暗い部屋の、埃の積もった大きな木製の机に、三つの小さな鳥が並んでいる。ふふ、と笑っておじいさんはそれをやっぱりていねいにビニール袋に戻して、引き出しにしまった。

それは不思議な場所での、不思議に美しい光景として私のなかに残っていて、地理にとことん弱い、移動に弱いという困った体質にも、ときには思いがけない幸福に出会う例のひとつでもある。

is that one person
be yourself
have to dream
happy valentines

VOICE of LOVE
නිදහස්
ඕනෙද?
ඔබ නිදහස්නෑ
තවම සිගරට් බොනවා
මස්කෙලිය පොලීසිය සහ ADIC

ベトナムのコーヒー屋

五週間ほどかけて、ベトナムのハノイからホーチミンまで移動した。途中、ニャチャンという海辺の町が気に入って、ずいぶん長くそこにいた。その町についてすぐ、駅前から海へ続く通り沿いにぽつんとある、屋台のコーヒー屋でベトナム式の甘いコーヒーを飲んだ。屋台を切り盛りしているのはふっくらした小柄の女で、息子らしい少年が手伝っている。女主人は屋台の店先でコーヒーを飲む私をちらちらと見ていたが、ふと向かいの席に座り、いろいろと話しかけてきた。ところが彼女は英語を話せない。私はベトナム語を話せない。女主人は私の前から立ち上がり、どこかへいったと思ったら一人の老人を連れてきた。背の高いその老人は女主人の友達らしく、流暢な英語を話す。そうして、私と女主人、老人の三人はひとつのテーブルについて、言葉を交わすことができた。

どこからきたのか、ベトナムのどこへいったのか、この町にはどのくらいいるのか、彼女はそんなことを尋ねた。笑うとまるい頬にきれいなえくぼができる、やわらかい顔立ちの人だった。

アジアの人々というのは、たいがい時間の概念が私たちとまるで違い、会話がとぎれようが、日が暮れはじめようが、ずっとコーヒーいっぱいを前にして座りこんでいることがある。このときも、午前中の穏やかな陽射しが次第に強くなってきても、だれも席を立とうとしなかった。女主人は思いついたことを私に訊き、老人はそれを訳し、私の答えを訊き、言葉がとぎれても穏やかに笑っているのだった。

私がコーヒー屋をあとにするとき、明日十時にいらっしゃい、と女主人は言った。言われるまま、次の日、十時にまたその屋台へいった。屋台の前には二台の自転車と、見知らぬ青年がいた。

これは私の上の息子、自転車を借りてきたから、それに乗りなさい、息子が町を案内するから。そういう女主人の言葉を、青年がたどたどしい英語で訳してくれた。しかし私は自転車に乗れない。よろよろしながらならかろうじて乗れるのだが、バイクや自転車の交通量がはんぱでなく激しいベトナムで、自転車を乗りこなせる自信はなかった。ごめんなさい、私は自転車に乗れないのだと説明すると、女主人は悲しそうな顔をして、私たちはバイクを借りてあげることができないと言う。ひどく申しわけない気持ちになった私は、意を決し、屋台の前にとめてある自転車にまたがった。数メートル漕いでうしろをふりかえると、女主人と青年は爆笑していた。やっぱり危ない、やめなさい、この子のうしろに乗りなさい、笑いながら女主人は言って、私は上の息子の自転車の荷台に乗ることになった。

青年は私と同じくらいの背丈で、しかも痩せている。あちこちアスファルトが掘り起こされ、でこぼこしていたり、ゆるいのぼり坂になっていたりする道を、汗を流しながら彼は漕いでいく。重いか、大丈夫か、三分に一度私は尋ねた。かならず大丈夫だという言葉が返ってきた。

海沿いに広がる町の、寺院や、教会や、丘や、海岸へ、彼はつれていってくれた。大学生だという彼は、英語とフランス語を勉強しているらしく、しかしほとんどしゃべれず、ときおり、英語とフランス語とごっちゃになった言葉を話し、また私の話すたどたどしい英語も、たぶん発音が悪いせいで彼は理解できず、意味のある会話はほとんど不可能だった。自転車に二人乗りしながら、大丈夫か、大丈夫だと、それが唯一たがいに理解できるやりとりだった。それで私たちは、数えきれないバイクと自転車と車の行き交う、クラクションのひっきりなしに響く町なかを、何十回も、大丈夫か、大丈夫だと叫び合いながら走った。

その町に滞在しているあいだ、私は毎日のようにその屋台のコーヒー屋へかよった。日中は海で泳ぎ、日が暮れる前にそこへいって、小さなグラスに注がれた、甘いコーヒーを飲む。通訳の老人がいないときでも、私は女主人と、英語とフランス語とごっちゃになっている上の息子と、店を手伝っている下の息子と、めちゃくちゃな――知っているすべての言語が入り混じったどこの国のものでもない言葉で、あれやこれやと話をしては、おたがい意味をわかったような気持ちになってげらげらと笑った。

その町を出る昼下がり、荷物をまとめてホテルをあとにし、私はコーヒー屋へいった。女主人は私の手を両手で握りしめて、私はあなたのベトナムのおかあさんだ、いつでも帰ってきなさいと、老人に教わったのか、英語で幾度もくりかえした。

上の息子がやっぱり自転車の荷台に乗せて、私を鉄道駅まで送ってくれた。彼は切符を買うのを手伝い、座席を捜し、私の荷物を運んでくれた。発車時刻までまだ数分あった。私と彼は列車の窓から顔を突き出して、ホームを行き来する人々や、ジュースを売り歩くこどもたちを見ていた。

発車を知らせるベルがなり、彼が列車をおりようとしたとき、私の名前を呼ぶ声が聞こえた。窓の外を見ると、コーヒー屋の女主人と、下の息子がホームで声をはりあげて私を捜しているのだった。迷ったあげく早々と店仕舞して、二人して走ってきたのに違いなかった。私は窓から顔を突き出し、大きく手をふった。

あれ以来ベトナムにはいっていない。ときおり、あの甘いコーヒーの味とともに、強烈な陽射しと、あざやかな花の色と、そこに暮らす遠い家族のことを思い出す。

宴のあと、午前三時

通りすがりに見つけて立ち寄ったその宿屋は、なんとその日に開店したばかりだった。たまたま通りかかった私が、宿泊客第一号だったのだ。

たしかにフロントは真新しく、床などぴかぴかしていたが、正直なところ、客室はそれほどきれいでもなかった。安ホテルだから多くのことを期待するのは無理だけれど、それにしても、真新しいというわりに、シーツや枕カバーは色あせていたし、床からは何かのコードが飛び出てぶら下がっていたり、工事のときの木片や、おが屑なんかが部屋の隅に渦巻いていた。

それでも私はそこに泊まることにした。宿泊客第一号といわれて、喜ばない人なんているだろうか。

町へいくためにフロントを通りすぎると、大勢がわやわやと何かしている。美し

いアオザイを身につけた若い女の子が二人、戸惑いながらうろうろと歩きまわり、数人の女たちが花を飾ったり、紙幣を数えていたりし、また男たちは椅子を運んだり大声で話し合ったりしている。おもてへ出ようとする私を中年の女がつかまえ、二時には帰ってくるように、と英語で言った。なんで？　と聞き返す間もなく彼女は奥へ引っ込み、男たちに何かの指示をしていて、なんだかよくわからないまま私は外へ出た。

次の日移動する予定だったので鉄道の切符を予約し、市場などをぶらぶらと歩いて、いったい二時に何があるのだろうといぶかしみながら宿屋へ戻った。

戻った宿屋のフロントは一変していた。細長いそのスペースに、円卓がこれでもかというほどに押しこまれ、人々が大勢ひしめいているのはさっきとかわりなかったが、みな正装し、隅々にはくっきりした色合いの花が飾られ、円卓の上にはたばこ一箱を置くこともできないほどぎっしりと、ごちそうの皿が並んでいるのだった。

ごちそうなんて今まで何回見たことがあるだろうか。そう思ってしまうほど、ごちそうという表現にぴったりあった料理の数々だった。悲しいかな、いつも屋台で安い料理しか食べていない私には、それらがいったいなんの料理なのか、まるでわからなかったのだけれど。

二時に戻ってこいと言った女が奥から出てきて、私の腕をひっぱり、アオザイ姿の女の子たち二人のあいだに座らせた。パーティなのよ、と女はじつにうれしそうに言った。

私なんかがここにいても、いいものでしょうか、ごちそうと円卓と正装した人々に圧倒されて、おずおずと私は訊いた。いいのよー、だってあなたは、最初の泊まり客なんだものーと、女は歌うように言ってまたどこかへ飛んでいった。

そうしてパーティがはじまった。だれかがあいさつし、またほかのひとがあいさつし、フラッシュがたかれ、乾杯があり、ざわざわとさほど広くないフロントに人の話し声が広がる。ラッキーだ、と思ってはいたものの、正装らしき美しいアオザイ、ぱしっとしたスーツ姿の男女に混じって、首まわりの伸びきった、汗くさいTシャツと短パンの私は小さくなって、次々につがれてけっして空にならないビールを飲んでいた。

私の両脇に座った二人の女の子も、なんとなく居心地が悪そうだった。それでも彼女たちは、ビールばかり飲んでいる私の皿に、遠慮がちに料理をとっては笑いかける。話してみると、二人は臨時アルバイトなのだった。女主人の知り合いで、大学生だが、しばらくのあいだ頼まれて、フロント業務をするらしい。二人は十八歳だった。教師になりたいと、二人ともが言った。ホテル勤務は？　と訊くと、あんまりやりたい仕事じゃない、と、恥ずかしそうに笑った。

皿の上の料理がなくなってくるにつれ、人々は座席を移動し、写真を撮り合い、フロント前のスペースはいよいよごったがえしていた。みなそこに座るこぎたない風体の異国の女に、移動がてらかならず酒をついでいってくれ、いったいどのくらい飲んだのか覚えていない。軽く酔った頭でぼんやり眺める風景は、夢のなかみたいだった。あざやかな花がそこここにあふれ、淡い色合いのアオザイが揺れるように移動し、笑い声が絶えず、テーブルにはごちそうの食べ残しが幸福そうに残っている。何人かが私を立たせ、一緒に写真を撮った。

最初にあいさつしていた初老の男が、夜の部もきなさい、と言った。七時からまた、同じようにごちそうを並べ、もう一度パーティをやるらしかった。私は丁重に断った。というのも、日がかわって午前三時の列車で、移動しなければならなかったのだ。七時からまたパーティに参加したら、おそらくふたたび私のグラスが空になることはなく、浮かれた気分で延々と飲み続けるはめになり、夢のような気分で眠りに落ちて列車をのがすのが関の山だったからだ。ごめんなさい、三時の列車に乗るんです。そう言うと、彼はあたふたとおもてに出ていって、シクロという自転車タクシーの予約をしてきてくれた。午前三時なんてシクロは一台も通っていない、女の子が一人で駅まで歩くのは危ない、予約をしてきたから大丈夫だと言って、私の肩をたたいた。

午前二時半に部屋を出た。フロントにはまだ円卓が残っており、夜のパーティの余韻が残っていた。しあわせそうな人々の話し声や、ごちそうのにおいや、グラスからあふれるビールの泡が、まだ部屋じゅうに漂っているようだった。私をパーティに誘った女と、初老の男が隅のテーブルに座っていた。おりてきた私を見て安心したように笑った。どうやら私を見送るために起きていてくれたらしかった。

おもてにとまっているシクロに乗りこんで彼らに別れを告げた。

シクロの男は無言で自転車のペダルを漕ぐ。自転車タクシーは国によってスタイルが違うが、ベトナムのシクロは前方に一人ぶんの座席があり、そのうしろで運転手が自転車を漕ぐようになっている。だから、座席に座っていると前の景色が何にも遮られることなく目に飛びこんでくる。

ひんやりとした夜だった。通りにはまるでひとけがなかった。私の頭に残っていた、昼間のパーティの余韻も、冷たい夜気につつまれて流れていく。道の両側には木々が植えられていて、たっぷりと葉をつけた枝が首をかしげるように緩やかに垂れ下がっている。暗闇に淡く霧がかかって、ほの白い闇のなかを、シクロはまっすぐに進んでいく。ペダルを漕ぐ音だけが耳に届く。

自分が今どこに、いつの時間に存在しているのか、幾度もわからなくなりかけた。そうして自分はだれで、どこに向かっているのか。男の漕ぐシクロがまっすぐに進む黒い道路は、私の知らない過去にゆるやかにつながっているような気がした。ひどく孤独で、その孤独は味わったことのない甘い気分を含んでいた。

ずっと続く道の先に橙色の明かりが見えてきて、近づくにつれ、明かりの下にもうもうと流れる湯気が見えた。湯気の周囲に数人の人々がいた。駅前の汁そばの屋台だった。屋台の裸電球に、そばを頬張る家族連れの顔が照らされていた。

ラオスの祭

十月末にラオスで祭があると聞いて、にわかにいく気になったのは、七月に旅したミャンマーで会った長期旅行者たちが口をそろえてラオスはいい、と言うのを聞いており、いつかいこうと決意したばかりだったからだ。そのほうが安いからという理由で、タイ行きの往復チケットを早速買った私は、陸路でラオスに入る方法やラオスの貨幣や、そんなものは何も調べず、何日にどこでどんな祭が行われるのかだけを熱心に調べた。

オークパンサーと呼ばれるその祭は、雨期開けと満月が重なるときに開催される。仏陀の教えにしたがって雨期の三ヵ月間寺にこもり修行していた僧侶がその日、袈裟《けさ》を脱ぎ俗世に帰ってくる、それを祝う祭らしかった。どんな祭なのか——裸で泳ぐのか舌に槍を突き刺すのか盆踊りみたいに歌ったり踊ったりするのか、そ

こまではわからず、私はなんとなく、宗教色の強い、静かな、神秘的な祭を勝手に想像した。

タイやラオスでは仏教は非常に重要視されている。仏教徒には非常に厳しい戒律が課されているし、周囲も多大な敬意を払うから、たとえばタイで混んだバスの中、座席が空いているのに僧侶の隣だからという理由で、老婆でも幼い女の子でも決して座らない、という光景は幾度か目にしていた。そうした宗教を持つ場所での宗教的な祭であり、また満月の下でそれが行われるのだと思うと、何か非常に美しいものを想像してしまうのだった。

タイ東北の町ノンカイからメコン川を渡ってラオスに入ると、葉を広げた木々も空気の質感も何もかわらないのに、急に空と大地がのびやかになる。視界を遮るような高い建物がなくなるのだ。

民家がところどころ点在する、両側に田畑の広がるでこぼこ道を、乗り合いトラックはがたがたと走った。首都の中心街でトラックをおりたが、へ？　ここ？　と思わずつぶやいてしまうような、小さな町である。アスファルトの両端は赤土がむき出しで、そこを車やバイクがひっきりなしに通るから土埃がもうもうと舞っている。

　四方に三十分も歩けば見るものは何もなくなってしまう小さな場所をぶらぶらと歩いた。町を歩いていると突然視界がとぎれて川が広がっている。茶色く濁った水の流れる、幅の広い川だ。同じ川だがタイ側で見るより、こちらのほうが堂々と存在を主張している。

　そのメコン川に沿って走る、細い道路の両側を、延々と屋台が埋め尽くしている。重ね合わせた三面鏡を思わせるほどどこまでも。終点を捜しながらずいぶん長いこと歩くが、果てることがない。屋台は、パパイヤサラダや鶏の炭火焼き、汁そばといった食べ物から、射的や輪投げといった景品をかけたゲーム、衣料品、おもちゃや靴まで、様々なものを並べてつらつらと続いている。親子連れ、カップル、グループ、正月の境内を思わせるほどの大勢の人々が、あちこちの屋台を冷やかしながら細い通路をのろのろ進む。

　屋台の合間に入り口を開いた寺があったので入ってみると、かなり広い境内にも隙間なく屋台がひしめいている。あまりにも想像とかけ離れていたので気づかなかったが、ここでようやく、ああこれが祭か、と思った。神秘的でも静かでもなく、境内で騒々しく行われている輪投げや射的の屋台には、取り囲む大勢の人々に混じって、橙色の袈裟を着た、まだ少年らしさを残す坊主たちが群がっている。何かの準備をしていたもう少し年上の坊主たちは、異国人の私に気づいてハローと手をふり、屈託のない笑みを見せる。手招きをして食べていた駄菓子をわけてくれ、あまりの酸っぱさに口をすぼませる私を指して笑い転げる。女性と親しく口をきいてはいけないのではないかと、こちらが心配になる。

夕闇がそろそろとおりてきて、屋台のあいだを歩く人々の数はさらに増え、まっすぐ歩くことが困難なほどの混みようだ。浮かれた顔をして歩く人々の合間にときおり、僧の身につけた橙の袈裟がほのかな明かりのように見え隠れする。

聖なるものが俗なる場所へ帰る、確かにそうした祭なのだと思った。もちろん祭の本来の意味などはとうに薄れているのかもしれないが、それでも、寺の境内にひしめく屋台とそこに群がる人を見て、それはなんとなく、宗教と人の関係というものを見事に象徴しているようにも思えるのだった。聖なるものの中に俗があふれている、いや、俗なるものの寄せ集めで聖なるものが輪郭を持っている、両者は両極でも隣り合わせでもなくごちゃ混ぜで何ごとかを形成している。

夕闇が濃さを増すと、メコン川のほとりで、子供も大人も一緒になって爆竹を鳴らし打ち上げ花火をあげる。バナナの葉で編んだ灯籠《とうろう》が、黒く染まった川を頼りなくすべっていく。景品をかけたゲームに興じる人々の歓声があちこちであがる。人の波にもまれながら、見あげれば、完璧にまるい銀色の月が路上の喧騒から遠く、広々とした紺の夜空に漂っていた。

ミャンマーの美しい雨

　まるで熱烈に恋をするようにアジアにひかれて、時間があるとすぐに、アジアのどこかの国へ向かうようなことを、ずいぶんまえからくりかえしている。同じ場所へいくよりは、見知らぬ場所へ向かう。それで今回私が選んだ場所はミャンマー。雨季だということ以外、なんの予備知識も持たぬまま旅に出た。雨の時期のアジアを私はまだ見たことがない。

　首都にほど近い、小さな町に滞在したときのことである。英語で声をかけてきた青年と、親しくなった。彼は道に迷った私を自転車の荷台に乗せて、安ホテルまで連れていってくれた。大学生だと彼は言ったが、旅行者を送ってくれたり、その後お茶に誘ったりと、なんだか暇そうである。学校は夏休みか、と、屋台のお茶屋で彼と向き合って訊《き》いた。大学は閉鎖されてるんだと彼は言った。彼と私の、ほぼ同

レベルのたどたどしい英語のやり取りで、大学側は軍事政権に反対してもうずっと閉鎖しているということを知った。いつから？　と私は訊いた。二年前から。彼は答える。いつまで？　ふたたび訊くと、だれにもわからない、と答えが返ってきた。

散歩にいこう、と言う彼とともに、迷う必要もなかったほどの小さな町をぐるぐると歩いた。道路には濁った巨大な水たまりがいくつもできていた。線路を越えると、似たような家が隙間なく並んでいる。葉を編んだ高床式の小さな家々である。家と家の合間の、でこぼこした赤土の道をともに歩きながら、ここはホームレスタウンだと彼は言った。家のない人々が、勝手に家を建てて住んでいるんだ、本当は違法なんだよ。家の合間の路地には鶏が歩き、犬が歩き、こどもたちが遊んでいた。軒先に古本を並べた本屋があり、空き地で男たちが双六《すごろく》をし、小さな家の庭でくじ屋が女たちにくじを売っていた。

ホームレスタウンといっても、そこは一つの町として立派に機能しているように見えた。軒先で水浴びをする女たちも、家の窓から顔を突き出した男たちも、彼と知り合いのようで、あちこちから声がかかった。裸足のこどもたちが路地から飛び出してきて、私たちのあとをついてくる。ふりかえるとはにかんだ笑顔を見せて数歩あとずさる。

生温かい風が吹いたと思うと、一瞬にして大粒の雨が降ってきた。青年は私を連れて一軒の家の中に入った。彼の家かと思ったがそうではなく、雨宿りをするらしかった。家の中は暗く、女が三人座ってしゃべっていた。突然お邪魔した私たちを迷惑がるでもなく、座る場所をあけ、蠟燭《ろうそく》をつけてくれる。四畳ほどの部屋一間の、小さな家だった。家具はなく、仏像の安置された祭壇があるきりだった。女たちは私を見て、声高に何か言っていた。こんなところに旅行者がくるなんてはじめてだって。どこからきたのかって訊いてるよ。青年が私の隣で女たちの言葉を英語になおしてくれた。日本からだと言うと、彼女たちは目を見開いて騒いだ。私なんかヤンゴンにいくのだってこわいのに、あんたよく一人でこんなところまできたわねえ。そう言っているらしかった。

ミャンマー語はできるか、女の一人が訊いた。私はたった一つ、それだけ知っているミャンマー語、ウエッター・ヒン（豚カレー）と口にした。彼女たちは腹を抱えて笑った。豚カレー、あんた豚カレーが好きなの。そんなことを言い合っては屈託なく笑い転げていた。

まだ十五に満たないような、小柄な女の子がびしょぬれになって家に入ってきた。彼女もまた雨宿りらしかった。女たちと言葉を交わしながら、ちらちらと私を見ている。

まったく知らぬ人の家の、戸のない入り口から、激しく降る雨を見ていた。雨は赤土を跳ね上がらせるほどの勢いで降り、あたりを薄茶色にかすませ、木々の葉があざやかな緑色に染まっていた。女たちの交わす異国語が雨音の合間に聞こえる。生まれてはじめて、雨を美しいと思った。

雨足が弱まってきたところで、私と青年、小柄な少女は彼女たちの家を出た。少女は骨の一本折れた傘をさし、私の腕をとって傘に入れてくれた。並んで歩きながら、ささやくように私に何か言った。去年町でお祭りがあって、そのとき、日本人の旅行者が、彼女の写真を撮ったらしいんだけど、送ると言って送ってこない、あの写真、どうなったかなあって、そう言ってたんだよ、と、青年があとで教えてくれた。

雨が完全にあがって空が淡い橙《だいだい》に染まるころ、青年は帰っていった。早く大学

がはじまるといいね、と言うと、困ったような顔をして笑っていた。

Where are we going?

限界点、とか、我慢強さ、とか、そうしたものは人によってかなり違うのだから、最低、最悪といってもじつに主観的な判断にすぎないのだけれど、それでも、あの電車は私にとってもっともひどい乗りものだった、と断言できる。

首都ヤンゴンからマンダレーへ向かう夜行列車だ。一等は座席ひろびろ、リクライニングシートで、三十五米ドルである。古くて汚れた列車に乗りこみ、蛍光灯が切れていたり切れかかったりしているせいで、薄暗い車内を歩きまわって座席を捜し、腰を下ろす。たしかに座席ひろびろ、リクライニングシートだったが、背もたれによりかかると、こわれていて勝手にリクライニングしてしまう。しかたなく背もたれにはよりかからず上半身を起こして窓の外を眺めた。物売りたちがたえまなく通りすぎていく。ガムや飴玉の詰まった小さな木箱を持った中年女、天秤をかつ

いだ中年男、飲みものの瓶の入ったバケツを提《さ》げたこども。数人のこどもたちが私が顔を突き出す窓の下に集まって、売りものを次々と見せる。お菓子やたばこやキャラメルや帽子。いらない、と言っても彼らはその場から動かず、買ってよ、ねえ買ってったら、仲間うちでふざけあいながら品物を見せ続ける。

えんじの袈裟姿の、でっぷり太った坊さんが乗りこんできて私のまえの座席に座る。坊さんの座席のリクライニングはこわれていない。薄茶色のサングラスをかけた彼はでーんといすに腰かけて、大きく足を開き、これ以上ないくらいえばりくさって見える。

ねえ買って。ガム、キャラメル、冷たいジュースは？　しつこく言い続けるこどもたちに、私はまえの座席の坊さんを指して、このおっさんに売りな、きっと買ってくれるよ、と身ぶりで言う。こどもたちは肩をすくめ、殴られる、殴られる、と真顔で返す。

がたん、と大きく揺れて、しぶしぶ、といった感じで列車は動きはじめる。こどもたちは手をふる。私も身を乗り出して手をふる。ここまではよかった。リクライニングがこわれているくらいどうってことはないし、埃まみれの扇風機は動こうとしないが、開けっ放しの窓から入りこむ風が車内に充満していた熱気を追い払っていく。列車は不定期に揺れながら、ヤンゴンの町をすり抜けて走る。線路沿いに並んだ粗末な小屋の明かりが遠のき、数少ないネオンが遠のいていくのを、窓枠に肘をついて眺めていた。

ふと視界の隅を何かが走って、反射的に見やるとそれは黒ずんだねずみだった。薄暗い車内の床を、ねずみが走っているのだった。一匹ではなくて、二匹だか三匹だか、それ以上だか、とにかく複数のねずみが。

まあそれでもいい。もちろん、ひゃっほう、ねずみ列車だ！　なんて喜ばしい気分にはなれないが、人の足にかみつくような凶暴さはないようだし、間違っても人様にぶつかったりはしないよう、彼らなりに注意して合間を走りまわっているようすだからだいじょうぶ。天秤をかついだ物売りがその場で作ってさしだす、バナナの葉にのった弁当の、にんにくや魚醬のにおいが車内にやわらかく漂う。

窓の外から町の明かりが完全に消え、何も見えないただの真っ暗闇になったころ、突き出した顔に、やけに何かがあたることに気づいた。何か、というのは大小さまざまの虫であることはすぐに理解でき、それらは、暗いおもてから車内の蛍光灯を目指してまっしぐらに飛んでくるのであった。虫のなかにはもちろん、痒みさえ残さなければこれほど憎まれることはないだろうとだれもが思うところの、蚊、もおり、私はにわかにぞっとして、足を折り畳んでスカートのなかにいれ、トレーナーをひっぱりだして着こみ、とにかく刺されまいと自らを守る。

縦に揺れ、横に揺れして列車は真っ暗闇のなかを走り続け、人々は食事をしたり談笑したり眠りこけたりし、足元ではねずみが走り、全開の窓からいろんなサイズ、種類、形態の虫が飛びこんできて、私は徐々に、これはひょっとしたら、**非常にやばい**かもしれない、と思いはじめていた。

虫が苦手なのである。苦手具合は虫の大きさに比例し、掌大の蛾《が》や成長しきったゴキブリを見ようものなら文字どおり私は硬直する。ゴキブリが窓から飛びこんでくることはなさそうであり、また人類の敵である蚊もなぜか八時にはぴたりといなくなったが、しかし、闇が濃くなるにつれ、冗談ではすまされないほどの量の虫が、何か奇妙な切実さでもって明かりを目指しまっしぐらに飛びこんできて、あるものは無事蛍光灯のまわりを飛びまわり、あるものは車内に乗りこんだだけで満足して窓や座席のあたりを飛びまわり、あるものは乗客の腕や胸や顔などにぶちあた

って混乱して飛びまわり、とにかく列車は虫大全、虫百科、虫園の様相を呈してきた。

頬をさすると小さな羽虫の死骸が掌にこびりついたし、腕をさすると薄いグレイのトレーナーにつぶされた小さな虫の黒いしみができた。車内を飛びまわるいろんなサイズ、種類、形態の虫たちのなかには、信じたくなかったが掌大の蛾や、落ち着きのないカナブンなどが混じっており、私はこわれたリクライニングにもたれたまま、軽く放心し、今までの旅で経験した最悪の事態ワーストテンなどを思い浮かべようかと思ってみるが、しかしそうすることで現在の状況がましなものに思えるかといったらそんなことはなさそうであり、さらに悲惨な思いをしそうだったので、やめた。

十一時近くになって、ふいに、車内の明かりがすべて消えた。消灯なのではなくただの停電らしかった。列車の走る音が一層大きくなったように思えた。虫はぴたりと入ってこなくなった。全開の窓から顔を突き出して、息をのんだ。

頭の上すべて、何にも覆われず何にも遮られないその広い空間すべて、星空だった。世界を覆う果てのない布地の上で、巨大な硝子《ガラス》をたった今粉々に割ったみたいだった。濃紺の空で星は、大きいのも小さいのも濡れているように、呼吸しているように光っていた。列車は轟音をまき散らしながら星の合間を進んでいくようだった。

このまま電気がつかなければいいと真剣に願ったが、三十分ほどして明かりはついた。蛍光灯の下で黒煙のように虫は群がり、足元をひそやかにねずみは走り、前席から坊さんのいびきが響き、トレーナーにもスカートにも足にも頬にも無数の虫の死骸や虫そのものや、そんなものをはりつけながら私はひたすら眠りを待った。

電車は夜を裂いて走る。もしくは夜のなかを転がるように走る。Struggle, Struggle……そんな歌があったようななかったようなな……

*

アジアを走るだいたいのバスは暴力バスだ。乗務員が暴力をふるうのではなくて（そういう特殊なバスもあるらしいが）、運転手が暴力的にスピードを出すのだ。それはもう本当に、時速何キロ以上で走っていないと爆発する、と脅されているように、強迫観念的にスピードを出す。二車線だろうが、路地裏みたいに細い通りだろうが、クラクションを鳴らしまくってがんがんに走る。スピードをあげたまま追い越しをかけて、すぐ目前に対向車が迫っていた、ということはごく平凡な日常のひとこまである。

ネパールで、カトマンズ—ポカラ間を結ぶバスで隣り合ったアメリカ人のケントさんは、町なかを走っているあいだはいろいろと話しかけてきたが、バスが町を抜け、左手は岩山、右手は急斜面、という道路を暴力的なスピードで走りはじめるころにはほとんど何も言わなくなった。

バスは対向車がこようが牛が道路を横断していようがとにかくほかの車を追い越しまくり、牛や犬や村人をくねくねと避けて、瞬間もスピードをゆるめることなく先を急ぐ。バスの窓から、急斜面に転覆して放置されているバスが見えた。何かの事故でそうなっているのだろうが、それが最近のことなのかずっと以前のことなのか、転覆しているバスも私たちが乗っているバスも同じように古びているから判断がつかない。私とケントさんは首だけ動かして、過ぎていく転覆バスを見送った。

「きみたちは仏教徒なんだろ」ケントさんが急に言った。

私とこの国の人たちが信じているのが同じ仏教かはわからないけど、まあそうだ、突然何を言い出すのかと思いながら、そんなようなことを答えた。しかしケントさんは私の答えなどまったく聞かず、

「仏教徒は輪廻《りんね》転生《てんせい》を信じているんだろ。だから彼はこんなふうにめちゃくちゃな運転をするし、乗客もきみもこわがっていないんだ。これでどうかなっちゃったとしてもきみたちには来世があるもんな」

と、冗談とも本気ともつかない口調でそんなことを言うのだった。

「なあさっき住所交換したよな、あそこにぼくの両親が住んでいるから、まんがいちぼくに何かあったらきみが彼らに連絡してくれ、な？」

そう言ってケントさんは笑ったが、おかしくて笑っているような感じではなかった。来世や輪廻がどうか知らないが、私はこわがっていないのではなくその反対で、恐怖にうちひしがれ無気力状態に陥っているだけなのだ、だってここにおとなしく座っている以外、どうすることもできないじゃんと彼に伝えたかったが、そんな長文、英語になおす気力もなくて、もし私も無事だったらね、と答えて力なく笑った。

ところで、輪廻思想と暴力バスは、実際のところ何か関係があるんだろうか？

＊

たとえばの話、ある人に会いたくない、会いたくないと思っていると必要以上の頻度でその人に出くわす、ということが、世の中にはよくあって、私はその現象を、「**無意識因果**」と呼んでいる。台湾の台東から緑島へいく小型飛行機に乗ったときのことも、きっとそういう種類のできごとなんだと思っている。

高い場所、というのが異様に苦手で、飛行機の離陸、着陸の際はかならず眠っているか、泥酔している。上空で安定飛行に入ってしまえば、窓から見えるのは煙みたいな雲ばかりで、距離感がつかめないからさほどこわくはないが、それでも極力努力して眠ろうとはする。

台東から緑島まで空路で約一時間、船の切符は三日後まで売り切れで、一時間ならまあいいや、と、飛行機でいくことにした。狭い飛行場の待合室で搭乗時間を待っていたのだが、窓のすぐ外は滑走路で、そこで離陸したり着陸したりする飛行機

が思ったよりずいぶん小さいことに、私は内心驚きあやしんでいた。するとそこに、あきらかに頭のねじがすっとんだおやじが突然、それはなんていうか心あたりがまったくないのに妊娠していた、というような唐突さと不条理さで登場し、待合室のガラス窓に顔を押しつけては、意味不明に叫んで窓ガラスをばこばこたたき、落ち着きなくそこを離れべつの場所へいっては、ぎゃーぴーとわめいていた。ひどいうるささだったが、とにかく私は目の前を行き来する、飛行機の小ささに驚きあやしむばかりで、そのおやじにはさほど注目していなかった。

搭乗時間がやってきて、案内表示に促されるまま、搭乗ゲートを出た。果たして私が乗るのは本当に小さな、十人乗れば満員といった感じの小型飛行機で、ああやっぱり、と小さく震えだしたところ、背後から、BGMのように、ぎゃーぴーぎゃーぴーというううるささがついてくることに気づき、こわごわふりむくと、頭のねじがすっとんだ彼もまた、私と同じ飛行機に乗るらしかった。

実際、飛行機は十人乗り程度で、乗務員は天井に頭がぶつからないよう腰をかがめて乗客を案内し席に座らせる。すぐ目の前に操縦室があった。操縦室と座席のあいだをしきるものはカーテンすらなく、こまごまとした意味不明のスイッチやボタンやコード、操縦機器が間近に見えて私の恐怖心をあおる。

そして、騒ぎながら飛行機に乗りこんだおやじは、しきりのない操縦室の真うしろに座らされた。彼は席に着くやいなや、興奮しきって右脳も左脳も開きっ放しという状態になり、立ち上がって騒ぎ、操縦室に身を乗りだして騒ぎ、手足をぶんぶんとふりまわしては何ごとかを大声で言い連ねていて、私はシートベルトをきつく締めながら、飛行中、彼が興奮してすぐ目の前にある操縦機械をいじり、そのまま私たちは海の藻屑、と勝手にくりかえされる妄想を消そうとつとめなければならなかった。

飛行機のエンジン音は尻に内臓に響き、それに比例しておやじは声をはりあげ奇妙な動きも激しさを増し、私は全身から血の気が引いていくのを感じて座席にぐったりと座りこんで、神よ、なぜ、このような試練をおあたえになるのですか、とつぶやいていた。

飛行機は滑走路を数秒走り、ふいに止まった。何ごとかと顔をあげると、操縦席のパイロットがふりかえり、暴れて騒ぐおやじに説教をしているのだった。おめーあぶないからじっと座ってろよそんなに騒ぐのならおろすぞマジあぶねえよ、というような意味のことを、早口の中国語で、かなり長いあいだ深刻なおももちで怒鳴り続けていた。

おやじはさすがにおとなしくなり、三十分ほど遅れて飛行機は離陸した。離陸後、しばらくエンジン音と乗客のひそやかなおしゃべりだけが機内を満たしていたのだが、遠くから蜂の大群がやってくるように、少しずつ、少しずつおやじは声をあげはじめ、落ち着きを失いはじめた。眠ることも泥酔することもできず、徐々におやじの騒ぎがエスカレートしていくのを、自分の掌を眺めて聞いていた。掌は汗ばんで湿っていた。

おやじの騒ぎは離陸後二、三十分でまた頂点に達し、立ち上がり踊り操縦席に手を伸ばし、などをはじめたのだが、おそらく私と同様身の危険を察知したらしい彼のうしろの乗客が、彼の後頭部を思いきりひっぱたき、乗務員とともに二人がかりで彼を座らせていたが、おやじはそんなことではめげず、叫びながらふたたび立ち上がって暴れはじめ、またうしろの人がひっぱたき、という悪夢のようなくりかえしがはじまった。

私はうなだれ、きっといつでもどこでもかなり正確に描き写すことができるだろうと思えるほど、自分の掌を凝視していた。膝の上の、汗ばんだ、愚鈍にすら見える無力な掌。

＊

高いところがこわい、スピードがこわい、虫がこわい、異様な混雑もこわい、こわいものづくしだが、そんな私でも唯一こわくないものがあって、水場はこわくない。泳ぎは得意だし、水をこわい、と思ったことはただの一度もない。だから船は私にとって理想的な乗りものである。底に濁水のたまった古いおんぼろボートだろうが、あたりに何も見えない大海原の真ん中でエンジンがぱたりと止まろうが、恐怖を感じたことがない。いつだったか、マレーシアの離島で、友達になった男の子数人とぼろ船で深夜釣りに出かけたのだが、釣りをしているあいだにボートの底になぜか水がしみだしはじめて、みんなでそれを掻《か》き出し掻き出ししながら帰ってきたこともあったが、こわいどころか、ボートの底の水と、そこを泳ぐ釣ったばかりの魚という図柄がおかしくて、私はずっと笑い転げてまじめに水掻き作業もしなか

った。

しかし、こわくない、ということと、気分がいい、というのはまったく話がべつである。七月のタイは雨期で、雨期の海をボートで進む、というのは、ある意味覚悟のいることなのだった。そんなことを知らなかった私は、クラビーからリゾート地プラ・ナン・ビーチを目指して、わくわくとボートに乗りこんだ。細長いボートで、乗客は五人、私とイギリスとノルウェーのカップル二組、あとは船の舳先《へさき》とおしりにタイ人の船頭さんと操縦者、それで出発した。

数十メートル進んで、えっ？　ちょっとたんま、と心のなかで叫んだ。いや、そう思ったのは私だけではないらしく、「ちょっと、私たちに救命具はないの、ライフジャケットはないの、浮き輪はないの」と、ノルウェーカップルの女が船頭さんに向かって騒ぎたてはじめた。

雨期の海。増水している上に、波があらく、私たちの小船は、波におどらされ、四十五度から八十度ほどの角度で舳先からまっすぐ持ち上げられてはたたき落とされる、ということをくりかえしながら進むしかないのだった。持ち上がってたたき落とされるときに当然大量の水が跳ねあがることになり、短パンもTシャツも顔も頭も水浸しになり、しかしあまりの揺れに両手でしっかりボートのへりにつかまっているから、顔にかかった水を拭うこともできない。

こわくはない。しかし、数分を待たずして気分が悪くなった。どれほど気分が悪かろうが、水浸しのまま、ボートのへりにつかまって、奥歯をかみしめてじっとしているしかない。ノルウェーの女はライフジャケットと騒ぎ、イギリスカップルは寄り添って水浸しになり、私たちを乗せたボートは生真面目なバレエ少女のようにアップダウン、アップダウンを忠実にくりかえし続けた。

ジェットコースターとかフライング・カーペットとか、その手の絶叫マシンを考えだした人は、ひょっとして雨期の海をボートで遠出したんじゃないだろうか、あした乗りものはエンターテインメントではなくて、雨期の海でボートに乗らざるを得なかっただれかの、行き場のない復讐心の塊なのではないか、ぼんやりとそんなことを考えた。

こわくはない、こわくはないけれどもうだめかもしれない、というくらい気分が悪くなったとき、右手にずいぶん小さな島が見え、その島の手前でボートは止まった。着いたのか？　と腰を浮かしかけたがそれはぬか喜びで、あまりの波の荒れのために、そこでしばらく休み、波がもう少し穏やかになるのを待ってからふたたび出発するらしかった。何隻かのボートが同じように旅行者を乗せて停まっていた。ボートは停まっても、波にもてあそばれるように前後左右、縦横斜めに揺れ続けていた。私は船頭さんに断ってボートをおり、島の砂浜に向かった。ボートは島のかなり手前で止まっていて、海のなかをずいぶん歩かなければならなかったが、体じゅう水浸しなので、腿まで濡れようが下着まで濡れようがあんまり関係がなかった。

砂浜にたどり着いて私は横たわった。幾人かの旅行者がそうして横たわったり、座りこんだりしていた。青と灰色のまじった奇妙な色の空も、いやに繁殖している木々の緑も、世界全部がぐるぐるまわっていた。ぐったりとして首を傾け、打ち寄せる波と、おもしろいように揺られている何隻かのボートを見るともなく眺め、あるボートで本を読んでいる旅行者を見つけてぎょっとした。欧米人の若い男で、彼は膝の上にペーパーバックを広げて、おとなしく読んでいるのだった。まるで晴れた昼下がりの図書館にいるみたいに、穏やかに、静かに、なごやかに。振り子のように揺れるボートの上で。

世界が広いということを感じるのは、つまりこんなときである。

*

文化三角地帯と呼ばれる、遺跡や寺や洞窟など見所満載の町や村への入り口である、スリランカのアヌラーダプラは小さいけれどずいぶんにぎやかな町で、町のはしっこにバスターミナルがある。バスターミナル周辺は安くておいしい食堂が多い。多いといってもどの食堂も出すものはカレーで、店によって味は違うがとにかくカレーしかない。

それであるとき、畳一枚ぶんほどの入り口の、強い陽射しにさらされすぎて白っちゃけた外の光景を眺めてチキンカレーを食べていたところ、見覚えのある何かが入り口の向こうを横切って、私を落ち着かない気分にさせた。見覚えがあるといっても、たとえばドラえもんとかミッキーマウスとか、すぐに名称が出てくるようなものではなくて、そう考えると見覚えがあるのかないのかもはっきりしないような何か、それでもこちらの注意をひく何かでしかなくて、なんとなく気持ちがざわめ

いた私は残りのカレーを大急ぎで口の中につめこんで勘定をすませ、とりあえずおもてへ出てみた。

土埃の舞うバスターミナルには何台もバスが停まっており、そのなかのいくつかには乗客がすでに乗りこんで発車を待ち、もっと人を集めたい乗務員が八百屋を思わせるだみ声で行き先を叫んで客引きをしている。あたりを見まわしてさっき視界を横切ったものを捜すと、意外にかんたんにそれは見つかった。

道の端に停められた古ぼけたバスで、車体に大きく「フレンズ幼稚園」と、日本語で書いてある。白地に緑の線、ピンク色のまるのなかにうさぎと象の絵、フレンズ幼稚園の文字の下には電話番号。

コロンボでもキャンディでももっと田舎の町でも、こうして日本語の書かれたバスはよく走っていて私をびっくりさせる。「郷土料理と温泉の　石塚旅館」だの「カントリークラブ　なめかわ」だの「山石工務店」だの。横浜市や川崎市の市バスも走っている。

しかし見覚えがあるのはそこに書かれている日本語ではなくて、そのバス自体だった。白地に緑の線と、うさぎと象の絵と、フレンズ幼稚園と書かれたそのバスに、たしかに二十九年前私は乗っていたのだった。電話番号の局番が生まれ育った家のそれと同じだから間違いない。アヌラーダプラの町の片隅に停まっているのは、かつて私が毎日乗らされるはめになったバス、そのものだった。それに気づいたとき、両頬を思いきりたたかれたような気分がした。バスの運転手はどこかへ休憩にいったらしく車内は無人で、ドアは開け放たれている。私はそっとステップをあがり、なかに入ってみた。

私が年を重ねたぶんだけ、バスの内部も古び、くたびれ、汚れていた。そして車内はずいぶんかわっていた。私たちが座っていたのはたしか二人掛けの黄色い座席だったが、スリランカを走るほかのバスと同じような、一人ずつの古びた黒いビニールの座席になっていて、運転席のまわりにはヒンズー教の神様のポスターがべたべたと貼られていた。けれど、すべての窓を開け放った、がらんとしたそのバスの真ん中に突っ立っていると、まるで水道の蛇口を思いきりひねったみたいに、こまごまと断片的な記憶がとめどなくあふれ、飛び散り、そうしながら秩序だって場面や光景を鮮明にかたちづくり、頭から爪先まで私をひたした。

毎朝私の都合とはまったく関係なくそれはやってきて、どんなに強い意志を持っていようがあっけなく無視され、私はそこに放りこまれた。そのなかは、阿鼻叫喚《あびきょうかん》、不条理、不協和音、不快、不可思議、等々、どれが何だか理解できないほどのフルスピードで渦を巻いていて、放りこまれた瞬間からかならずひどい頭痛が私を襲った。

私の家の前のバス乗り場が最終で、私とほかの数人を乗せたバスはいよいよ幼稚園へ向かう。運転手の横に先生が立ち、幼稚園へ着くまでのしばらくのあいだ、私たちに歌をうたわせる。フレンズ幼稚園は同じ敷地に建つ教会が経営するキリスト教の幼稚園で、うたわされる歌はいつもこどもさんびかだった。園児たちのリクエストが多かったんだろう、もっともよくうたわされたのが少年ダビデが巨人ゴリアテを倒す、アニメソングにも似たはつらつとした歌で、うたうふりしかしていないのに、いつだって気分が悪くなった。

私は四つだった。四つだったけれど、いつも、一日たりとも欠かすことなく、黄色いシートの上できまって茫洋とした不安を感じていた。いったい私は、**だれに、どこへ**連れていかれるのか。どうしてみんなのんきに歌なんかうたっていられるのか。そんな馬鹿げた歌に熱中しているあいだに、**だれかが、どこかへ**私たちを連れていってしまうというのに。けれど私は、たとえばなっちゃんみたいにぐずぐずと泣くことはできないし、あやちゃんみたいに「ママがいいの、おうちがいいの」と言葉にして叫ぶこともできない。幼稚園が泣くほどいやなのではなく、家にいたいわけでもない、無力にそこに座っていることがただおそろしいのであり、気持ちがいやな感じにざわめくのだ。

結果、涙にも言葉にもならない不安は極度に達し、私はおしっこを漏らす。ゴリアテの歌は私の周囲から徐々に消え入るようにして終わり、肌をとおるなじみぶかい生あたたかさは、一瞬を待たずして突き放すような冷たさにかわる。二度と許されないような。何もかも失ったような。絶望の底のような。そんな股間の冷たさ。

ゴリアテの歌が完全に終わるとふたたび私の周囲を中心に小さなざわめきがおこる。みどりせんせえー、またみつよちゃんがあー、とだれかの声がし、それはまるで、遠く暗い森の奥から響く冷えきった風の音みたいに私の耳に届く。ゴリアテの歌みたいに消えて終わってしまいたいがそんなことはできない。そこに座っているしかない。気を失ったふりでもしたいところだが、四年しか生きていないこどもにそんな高度な技は使えない。うなだれてそこにいるしかない。足の合間に小さな水たまりをつくって。

バスは止まらない。私の感情とも生理現象とも、不安とも戸惑いとも関係なく、走り続ける。窓の外は活発で清潔な陽射しが輝いていて、私の足元の水たまりも、そんな午前中の光みたいにどこかはしゃいで見え、こっぴどく裏切られた気分になる。

座席は決まっていなかったが、最後に乗りこむ私の座る位置は決められていた。左の列の前から二番目の席で、二人掛けなのにそこに座るのはいつも私一人だった。なぜならば七割がたおしっこを漏らすクラスメイトの隣に座りたいという奇特なこどもはおらず、左の列の一番前はみどりせんせいだったから、そこに座らせておけば迅速な対応が期待できると、どのこどもも知っていたのだろう。

アヌラーダプラの片隅に停められたバスの、左の列の前から二番目のいすに座ってみた。埃で汚れ白く濁ったフロントガラスから外を見る。色の黒い男たちや色あざやかなサリーを身につけた女たちが行き交っている。埃が舞い、毛が抜け落ちて皮膚の黒ずんだ野良犬がとぼとぼと人の合間を歩く。座席の足元を見る。オレンジの皮や薄いビニール袋や、ピーナッツの殻が落ちている。たぶん黒ずんだ木の床は私のおしっこをほぼ一年のあいだ吸いこんだものと同じだろうと思う。ゴリアテの歌や不安や午前中の陽射しや、そんなものを吸いこんできて、オレンジの果汁やシンハラ語や幼いきょうだい喧嘩や檳榔まじりの唾なんかをここで吸いこみ続けている。

右手にチケットの束を持った、サロン姿の痩《や》せた男が乗ってきて、怪訝《けげん》な顔で私を見る。□◇△▽？　と私に訊くがシンハラ語はわからない。男はあきらめてバスをおり、客引きをはじめる。数人が乗りこんできて、思い思いの席に座りこみ、前から二番目に座っている異国の女をもの珍しげに見る。目が合うと、驚くほど白い歯を見せて笑いかける。

開け放たれた窓から顔をつきだし、乗務員の呼び声に耳をすませ、このバスがどこへいくのか聞き取ろうとするが、なんと言っているのかまったくわからない。ほんじゃーほんじゅーと聞こえる気がするので、ガイドブックをひっくりかえしてほんじゃーほんじゅーに近い地名を捜してみるがそんなものは、ない。あきらめておりようと腰を浮かせかけ、自分がまだここに、かつての自分の指定席に座っていたい気分であることに気づいた。行き先がわからなくたって平気じゃないか。終点までいって、同じバスに乗って帰ってくればいいのだ。どうせ今日一日、なんの予定もない。

ほとんどの席が乗客で埋まり、腹の突き出た大男が乗りこんできて運転席に座る。

「このバスはどこへいくの？」とりあえず私は運転手に英語で訊いてみる。

運転手は何か叫びかえすが、それも、ほんじゃーほんじゅーとしか聞こえない。うしろの席の若い男が身を乗り出してきてどこへいきたいのかと英語で訊く。**どこへいきたいのか？** いきたいところなんてない、このバスが**どこへいくのか**知りたいだけだ。

答えずにいると、若い男は質問をくりかえし、ほかの席の乗客まで立ち上がってきて私を取り囲み、どこへいきたいのか、シーギリヤか、ミヒンタレーか、などと、英語や、シンハラ語や、違う言いまわしで質問し、なかには、さよなら！　おおさか！　と知っている日本語を連発する男もいて、違う、このバスはどこへいくのか知りたいのだといくら言っても、彼らは理解しない。行き先のわからないバスに乗りこむという行為自体が、彼らには理解できないのだ。取り囲まれ、あちらこちらから投げかけられるいろんな声を聞いているうちに、自分がパンツを濡らしてこうべを垂れて座っている、たった四年間しか世界を見ていない、冬と夏を四回くりかえしただけの、小さなこどもになったような気分になる。

どこへいくの。どこにいきたいの。どうしてこのバスにのったの。どこからきたの。どこにいるの。いつまでこの町にいるの。この町が好きか。周囲の声はやまず、

「ほんじゃーほんじゅー！」あきらめて私は叫んだ。

ほんじゃーほんじゅー、ほんじゃーほんじゅーならこれでOK、だいじょうぶ、そこに座っていなさい、彼らは口々に言って自分の座席へ戻っていく。乗務員が乗りこんで、運転手がエンジンをかけ、バスは大袈裟な音をたてて動き、走りはじめる。

それにしても、ほんじゃーほんじゅーって、いったいどこだろう？

バスがどこへいくのか私は知らない。けれど私はかつてのように絶望しない。不安にすっぽりと覆われて小さく震えることをしない。なぜなら私はすでに知っているのだ。私たちはどこかへいき続けなければならないことを。暴力バスに揺られボ

ートにしがみつき小型飛行機でうなだれながら。快適な乗りものも、そうでないものも、そのほとんどを自ら選べずに、けれどだれかに乗せられるのではなく自分の足で乗りこんで、どこかへ向かわなくてはいけないのだ。それがどこかわからないまま。いきたいところなんかどこにもなくても。

柑橘類の熟れた、甘い、くすぐったいようなにおいがふいに私を包み、気がつくと、うしろの席の若い女が半分に割ったオレンジを私の肩越しに差し出している。

ポケットに牡蠣《かき》の殻――アイルランド、コークにて

この場所にきてまず思ったのは、単純に美しいということで、それはつまり、あんまり私の好みではないということになる。

まず迷子になる。それが一人で歩くときの常である。私には方向把握能力が欠如している。だから新しい町に着いたときはできるだけくわしい地図を入手しなければならない。角を曲がるたび、店の軒先にからだをくっつけてこっそり地図を開く。こっそりそうしてしまうのは、迷っているということが、どんな場所にいても恥ずかしく思えるからだ。

しかし地図を買うことにあんまり意味はない。私は地図が読めない。目の前にある通りの名前を苦労して地図の中から見つけだす。それでも、今私のいる位置が、西向きなのか北向きなのかわからない。通りの名前を見つけだすだけなら、似た服

を着た幾人もの中からある男を捜すという、あの絵本を眺めているのと同じなのである。あった、と喜ぶだけでなんのやくにもたたない。

　地図をぐるぐるまわしながら見当をつけて歩きだす。決まって間違った方向へ。何十回も人に訊き、店の軒先で地図をぐるぐるまわし、足を棒にして歩く、二日ほどそれをくりかえしてようやく町の地理を知る。そうしてこの町をいったりきたりしているうち、数回はかならず川にぶつかる。川面に街並みが映っている。目的地にいけない焦りの片隅で、なんだか妙に美しい場所ではないかとひそかに思う。

　三日がたってみれば、迷ったことが異常に思えるほど小さな町であると知る。ゆるやかな曲線を描く大通りはその先で川と直角にぶつかり、大通りと並行して細いがにぎやかな道が伸びている。大通りから細い路地が幾本も左右に枝分かれしている。それだけの町である。大通りを抜けてしまえば数軒のパブのほか店はなく、町はずれという感じになる。私はどこをどうやって迷っていたのか。

　底のたいらな皿のような町で、底の部分が中心街であり、それ以外は住宅地である。住宅地に向かうバスや車は、すべり台みたいな急な坂道をずり落ちそうになりながらのぼっていく。皿の一番底、町の真ん中を川が流れている。おびただしい数のかもめが棲んでいる。ときおり白鳥がまぎれこんでおり、そのでかい図体はどこか間抜けに見える。高い建物はなく、川を見下ろすように長屋式に軒を連ねる建物は赤、青、黄色、ときにはピンクに塗りたくられ、それらが川面に映り、あざやかな色がちろちろと揺れる。町のいたるところに、石造りの教会がそびえている。どの教会も立派である。シャンデリアを思わせる。教会の塔はひときわ高く、そこここに突きだした先端が川をのぞきこんでいる。十時十五分前とか、八時十分すぎとか、いやに中途半端な時間に、どこかの教会の鐘が鳴り響く。鈍い鐘の音は住宅地の隙間をすべり坂道を転げおち、川を目指して町全体に広がる。

単純な美しさというものを好きになれない。たとえば石造りの教会の高い位置にはめこまれた精巧なステンドグラスである。ペンキの一箇所もはげていない、赤や青の建物も、また、建物に描かれた花や飾り文字や、そんなものも好きになれない。ましてパステルカラーの建物にはへどがでる。空き缶の一つも落ちていない、スナック菓子の空き袋の落ちていない公園の芝生もきらいだ。生ぐさくない魚屋や、血のにおいのしない肉屋もなんだか胡散《うさん》くさく思える。

場所と人の関係というのは、恋愛にひどくよく似ていると思うときがある。自分でもはっきりと分析できない純粋な好みがある。太った男はいやだ、食の細い男はいやだと知らず知らずいくつかの好みの基準ができあがり、それでも、太った食の細い男に恋をする場合もまたある。その場所に足を踏み入れたとたん激しく恋することもあれば、長い時間かけて好きになる場合もある。どうしても好きになれないときも、強く憎むときもある。恋愛が成立するしない以前に、接点のまるでない場所もある。あんまり激しく——しかも十代のころのような激しさで、恋をしすぎるとその場所で生活するのは難しくなる。生活は恋とは逆ベクトルだ。

そしてこの町は私の好みではない。公園の芝は切りそろえられごみのひとつも落ちていないし、肉屋の建物は赤にピンクのストライプで、真っ白なうわっぱりを着た主人が清潔なタイルに囲まれてにこにこと客を待っている。そして町のどこにいても見える、つんと突きでたいくつもの教会の塔。

それでも純粋に、この町を通りすぎることができないのは、この町には何か人を奇妙な心持ちにするものがあるからだ。たとえば空だ。朝の八時に部屋をでる。川沿いの道を歩く。川面がざわざわしていて、ふと空を見上げる。雲がものすごい勢いで流れている。空の色が瞬時に変わる。灰色になり透きとおった無色になり陽の光を透かして輝く。その日一日が晴れなのか雨なのか曇りなのか、まるでわからない。昨日より流れの早い川が空をそのまま映し、水面に映る青や赤の建物をぐじゃぐじゃに壊しながら、ひとつとして同じもののない模様を描いて流れていく。ふりあおぐと、高い位置にある住宅がずらりと遠くならんでいる。雲の流れのせいで町のトーンもまた一瞬ごとに変わる。陽の光を受けて金色に光ったかと思えば、次の一瞬、うら寂しい、灰色の町になる。まるで一日じゅうそこに突っ立っていたような気がするが、歩きだして腕時計に目をやるとほんの一分しかすぎていない。

面白いように流され、流されては飛んでもとの位置に戻る、かもめの白いからだを眺めながら、川に沿って歩きはじめ、自分の中で何か、昼に腹が減るとか三十分歩くと足が疲れるとか、そういった基本感覚がゆるやかに狂っていく感じがする。大袈裟なようだけれど、高い建物のほとんどない町では空が世界の大半を占めている。それが無数の生きものを棲まわせているように動き続けているのだ、奇妙な感覚にとらわれないはずがない。

この国の妖精は有名である。言葉の響きから美しい、かわいらしい何かを想像していたが、どうやらそういった類のものではなさそうであると、うすうす思いはじめる。妖精を見たという話は聞かなかったが、幽霊の話を幾度か聞いた。あそこのホテルには幽霊がでる、あの場所には幽霊が棲んでいる、そんな話を何度か聞き、もちろんそれはたまたまそういう機会が重なっただけだろうし、どこでもよく聞く話ではあるが、この場所で聞くと、一種奇妙な心持ちがする。

町のはずれにある刑務所あとの博物館を訪ねたときも、そこの女館長がここは幽霊がでるのだと最後に教えてくれた。どうやら幽霊は四月にしかあらわれないらしい。姿は見えない、だけど話し声がひっきりなしにする、夜がとくに騒がしい、悪さはしないの、ただしゃべっているだけ。シーズンオフで訪れる人もまばらな、石造りのひんやりした刑務所あとの、薄暗い受付で聞くそんな話は、不思議とこわくはなく、ただ、一日ぶんの時間の流れを感じながら数秒空を見上げているのとよく似た感覚を抱く。

バンシーという妖精のことを聞いたことがある？　ピンク色の頬をした女館長がひっそりと言う。バンシーの泣き声を聞くと、その家で不幸があるのよ。その泣き声はね、風の音に似てるの、寒い夜に、木の合間を風が通り抜けるような。私は聞いたことはないけれど。

刑務所あとの博物館に入る前は、家も木々も芝生もみな金色に輝くほど晴れ渡っていたのに、出口をでて石の階段をおりると、細かい雨が降っている。やわらかい女の髪のような細い雨。

坂をおりて町を目指す。雨はいつのまにかやんでいる。借りた部屋の前に流れる川縁で足をとめ、たばこを吸う。何げなく空を見上げまた息をのむ。昼間はさほど動いていなかった雲がふたたび移動をはじめ、遮るものの何もない巨大な空の、ある部分は今の時刻にふさわしく茜色の夕焼けであり、ある部分はすでに夜で、その向こうは昼の余韻を残しており、そしてはるかかなたは明けがたの淡い紺色である。そのじつに様々な時刻の空の合間をぶあつい雲が行き来して、昼も夜も明けがたも、あっという間に混じりあい、溶けあって、いつともつかぬ一瞬になる。バンシーの泣き声、四月の幽霊。ここで時間のない巨大な空を見上げている私。

表情を変え続ける空の下で、赤や青やピンクの建物だとか、緑の芝の公園だとか、町のそこここにあるシャンデリア教会だとか、この町の単純な美しい部分が、うわべを覆うたった一枚の布のように刹那的であることに気づかされる。その布地の奥に何かごつごつと硬い手ざわりのものが隠れている。そんな気がする。それが

ABBEY HOUSE

何かはわからない。けれどそれは、緻密に作り上げられた教会とも、カラフルな家並みとも無縁な、どこか醜悪な、滑稽《こっけい》なものに違いない。バンシーという名の妖精のような。四月のおしゃべりな幽霊のような。好みでないと言いきってこの町を通りすぎることはできそうにない。

小さな町の中に無数の飲み屋がある。カウンターだけの小さな店から、倉庫のようにばかでかいところまでじつに様々で、パブにいこう、ということになるとたいてい待ち合わせは九時か十時である。

この町へきた当初、夕食をとるためにパブに入り、飲みものしかないことと、ひとけのないことに驚いた。人々は家でたらふく食ってから飲みに町へでてくる。だから七時八時にはパブにひとけはない。水曜、木曜と週末に近づくにつれ、そして時刻がたつにつれ、パブは人でごったがえす。それはときにおそろしい有様である。満員電車状態だ。座る席もなく、みな立ったまま、グループ連れは輪になり、カップルは向き合い、片手にビール、片手にたばこをはさんで飲み続ける。新しい客がグループの輪をくぐり、カップルの隙間にわりこんでどうやら立てる場所を見つけ、そこで飲みはじめる。満員電車の中でそれぞれがビールを飲みたばこをふかしているのと変わりがない。それでもだれも店をでようとはせず、もっと楽に呼吸できる場所を捜そうともせず、延々とビールを飲み続け、何ごとかを夢中になってしゃべり続けている。突っ立ったまま。押されたら押されたままで首を傾けて話し、真ん中にわりこまれたら体をひねり顔を近づけて話し続けている。

知り合いになったこの国の人の車が、あんまりにも汚れ放題なので、ずいぶんきたない車だねえとつい口にすると、車がきれいかどうかなんてたいしたことじゃないと言う。たいしたことじゃない、というのはこの人の口癖のようなもので、あんまりそればかり言うものだから——仕事なんてたいしたことじゃない、貯金なんてたいしたことじゃない、たばこの数なんてたいしたことじゃない、あれもこれもたいしたことではない——、じゃああんたにとってたいしたことっていったいなんなのよ、と、いらだち半分、冗談半分で訊いてみた。彼はしばらく考えてから、深刻なおももちで答えた。話すこと。人と話すこと。真剣なわりにはその答えはずいぶん突拍子なく思え、私は笑ったが、彼は笑わなかった。たしかに、この満員電車状態をだれも気にとめずくっちゃべっているところを見ると、居心地がいいかどうかなんてたいしたことではないのだろう。ビールがあって話していられれば何も問題はないのだろう。

黒ビールの薄く茶がかった白い泡が、飲みすすむにつれて、大ぶりのグラスに長い影のようにへばりつき、人と人の合間に突っ立ってそれを眺め、刻々と変わり続ける空を思いだす。利那的だという言葉はどこか哀しい響きがあるけれど、あの空の下の利那は、もっとばかばかしいようなものだと、わんわんと人の声の響く、わけのわからない混みかたをしている飲み屋でそんなことを考える。

バンシーの泣く声やホテルや博物館に棲む幽霊のことをときおり思いだしていたせいだろうが、さんざん飲んで遅く帰ったある夜、トイレにいきたくて目を覚まし、女の歌う声を聞いた。

私の借りた部屋は巨大な建物の一階にあり、ほとんどの部屋に近所の大学へかよう学生が住んでいる。どこかの部屋の学生が酔っ払って歌っているのだろうと思い、用を済ませてベッドに戻った。そんな歌いかただった。調子外れの明るさで、リズムは適度にめちゃくちゃで、メロディが強まったり弱まったり、伸ばした音のすぐあとに今にも笑いだしそうな。その歌声が、どこの部屋に向かうようすもなく一定の音量で聞こえてくるので、中庭にでも座りこんで歌っているのだろうと思った。夜はかなり冷えるが酔っぱらいに暑さ寒さは関係ない。
ふたたび目を覚まし、時計を見ると明けがたが近い。そしてまだ女の歌う声は聞こえた。さっきよりも遠く、それでもやっぱり、酔っ払って頭のたががゆるんだ、一瞬のしあわせに満ちた歌いかたである。あと何時間眠れる、ということと、ああ今私が聞いているのはへんなものの歌う声かもしれない、ということを、ぼんやりした頭で同時に考え、ふとんをひっかぶってうとうととする。へんなものの歌う声、私の知らない場所から聞こえてくる声、刹那の布地の裏側から響く声、でもこんなふうに歌ってくれるのなら、まるでこわくない。窓がヒーターの熱でくもり、乳白色の四角がぽかりと部屋に浮かんでいる。

友達になった女の子が間借りしている家へ招かれて遊びにいった。その子の家は皿のへりのほう、町を見下ろすはるか向こうにある。バスが重たげに急な坂道をのぼり、五分も走ると繁華街の気配は消えうせ、並ぶのは太く短い煙突を屋根から突きだした低い家ばかり、家並みの向こうには緑の牧草地が見える。バスはギネスの缶そっくりに塗られている。ハイネケンのバスもある。四角いかたちをした大きな缶ビールが町じゅうを行き来しているのである。

ギネスのバスが終点につく。停留所らしきものはなく、バスはただ、道路にとまり、乗客をおろし、反対側にまわって待っている人々を乗せ、そしてまた走りさる。バスがいってしまうと、あたりは急に静まりかえる。広い道路の両側に、こぢんまりした家が並んでいる。道路の両脇から幾筋も道が伸び、家が整然と区画されている。さっき遠く見えた牧草地がすぐそばに見える。緑の原は積んだ石で区切られ、ある場所には牛が、ある場所には羊がいる。

なんだか落ち着かない気分になるのは、見えすぎるからだと気づく。視界を遮るものが何もないのだ。家はほとんどが平屋建てで、住宅地の中にはあの立派な教会もなく、また、背の高い木というものがない。ところどころ点々と木はあるが、みなそろって背が低く、もじゃもじゃと葉を茂らせている。だから緑の地がゆるやかな傾斜を描きながら幾重にも重なり、空と接するところまで見渡せるし、ふりかえれば、皿の底の町が、豆粒より小さくかすんで見える。

彼女に部屋を貸している女主人が昼飯をごちそうしてくれると言う。三時にはできあがるから少し散歩をしようと、彼女が言う。家に挟まれた広い通りを彼女と連れ立って歩く。緑の傾斜に、千切った紙切れがばらまかれたようなのは、羊である。もう少し大きくて黒白なのは牛である。

長い髪の彼女がコートのポケットに手をつっこみ、私の前を歩く。ゆるやかな傾斜の緑の原に、くねくねと細い道が帯のように伸びる。薄い雲で覆われていた空が、だんだん重く垂れ下がってくる。大きく広げた風呂敷みたいな緑の原に影がさす。一軒の家の前で彼女が足をとめる。垣根に柊《ひいらぎ》が生い茂っている。ぎざぎざの葉と、ぽちりと赤い実に彼女は手を伸ばす。柊って雄と雌といるんだって、と彼女が言う。雌の柊だけが生い茂ってても、雄だけでも、実はならないんだって。

向こうの道路で子供がバスケットボールを投げあって遊んでいる。どの家にもついている太くて短い煙突のひとつから、細い煙がたなびいている。雨を呼ぶように頼りなくグレイの空へ舞い上がっていく。

一瞬音がすべて消える。ボールの跳ねる音、母親が子供を呼ぶ声、雲の動き、はるか遠くの斜面で草をはむ羊。重たい雲の一箇所がふいに開き、スポットライトのように一筋の光が舞い下りて緑の原の一箇所だけを金色に光らせる。その一瞬、動いているものと静止しているものが完璧に調和する。一瞬がある一点で永遠に触れる。それはけっして美しい光景ではない。もっといやらしく、直接的に私に切りこんでくる。

急に不安になる。不安になるのは今のこのすべてをすでに私が知っていたような気になるからだ。この瞬間を幾度もくりかえしてきた気がするからだ。先週大学の図書館で見てきた、あの奇妙な昔の絵文字、ひとつの文字の中に執拗に繰り返される螺旋の渦の中に入りこんで、たった一人でずっと歩き続けている感覚を味わう。ずっと長いあいだ。私がはかることもできないほどの時間をかけて。ときどき途方に暮れながら。

三時に見知らぬ家の見知らぬキッチンで昼飯を食べる。大きな皿に、鶏肉と焦げたにんじんと、あふれるほどの芋がのっている。私たちの食事するようすを眺めながら、家主の女は紅茶を飲んでいる。どこのパブのランチがおいしいか、この町から一時間ほどでいける観光地はどこか、そんなことを、か細いやわらかい声でぽつぽつと話してくれる。私はそれを聞きながら、キッチンの流しの上にある、長方形の窓をちらちらと眺める。雲は今や人さし指で押せそうなほど低い。背の低いもじゃもじゃの木々が金切り声をあげるみたいに幹を傾ける。ぽつりと雨粒が窓にはりついたのを合図に、次々と水滴がはじけあう。

螺旋の渦のどこかで、私はこの女と、髪の長い女の子と、会っていたのかもしれないと、そんなロマンチックなことを考えてみる。まったくべつの場所でこうして食卓を囲んでいたのかもしれず、あるいはどこかに向かうバスにほんのいっとき乗り合わせたのかもしれない。もしそうでないなら、今こうしているのはどう考えても不自然に思えてくる。

夜に歌う女の声を聞いたり、こんなロマンチックなことを考えてみたり、まったく私の基本感覚は狂いはじめている。

十一月も終わりが近づくと、町はだんだんにぎやかになってくる。飾りつけられた大きなツリーがあちこちに立てられ、大通りの街灯にはアーチ状にリースがくくりつけられ、リースの真ん中に、長靴や、サンタや、星のかたちをした豆電球がはめこまれている。デパートの壁にもサンタの豆電球。町にたった一本通っている大通りのショーウィンドウも、キリスト生誕劇の人形たちが飾られ、マネキンには金や銀のリボン、サンタの赤い帽子がかぶされている。裏通りの文房具屋に入るとサンタが店の中を暇そうに歩いている。まだ十一月である。右を向いても左を向いても、頭上も隙間なくクリスマス飾りというのは、はっきり言って過度に思えるが、それでも派手に感じないのは、町がこぢんまりしているせいだろう。

金曜日の夜だった。もうすぐ私はこの町をでていく。相変わらず細かい雨が降ったりやんだり、強まったり弱まったりしている。待ち合わせに向かうために裏通りを歩いていて、人だかりがしているのが目についた。人の輪の中に入ってみると、裏通りの、細い道路がTの字になって少しばかり広いところに、トラックが横づけされている。トラックはステージになっており、何人かがそれぞれ楽器を持って準備をしている。

通行人が次第に輪に加わり、数分しないうちに演奏がはじまった。うまいとは言えないがそれでもブズーキやフィドルの音色は心地よく響く。照明もろくになく薄暗いトラックの中で演奏する人々の顔は見えず、やがて女の歌声が響く。歓声が起こり、カップルは抱き合い、子供は向き合って手をつなぎからだを揺らし、ようやく歩けるほどの赤ん坊がまるい尻をふって踊りはじめる。雨は次第に激しくなる。トラックを横づけしているのに交通整理をしないから、T字路の先は車が数台渋滞しており、一台ずつのろのろと人の波をかき分けて走っていく。店の中をぶらついていたサンタが店先からでてきて、雨に濡れながらライブを見ている。

待ち合わせにいくのが面倒になる。ここで雨に濡れながら、あまりうまくはない演奏をずっと聴いていたくなる。たえまなく移動する雲とそれを映す川や、髪の長い女の子との静かな食事や、夜半に響く女の歌声やそんなものが、グラスの縁にへばりつきすべり落ち、やがて消えていく黒ビールの泡のように頭の中をよぎる。いつのまにかこの場所に恋をしている自分に気づく。肉屋に血のにおいのしない、公園に空き缶の落ちていない、パステルピンクの建物があるこの場所に。

場所と人の関係が本当の恋愛と決定的に違うことがたったひとつだけある。場所はけっして人を一方的に愛してくれることはない。だからつねに私は片恋状態になる。私がどんなに強く愛したとしても、またこっぴどくきらったとしてもそんなことには場所は無関心だ。まるで神様みたいに。

その場所が私を拒絶していると思うときがある。ぼられ盗まれ食事は口にあわず体調を崩し、すれ違う酔っぱらいにてめえの国へさっさとケエレと悪態をつかれることもある。けれどその場所が私を追い払うことはけっしてない。私がやさぐれた態度でつばを吐き散らしながらその場所に居続けたとしても場所はそれを寛大に許容する。その場所がこれ以上ないほどあたたかく迎え入れてくれることもある。食事は口にあい、行き交う人々がみな笑いかけ、気候の変化すらも個人の事情に合わせたかのように心地よく、何もかもがスムーズにすすむ。それでもその場所をでるとき、その場所は引き止めてはくれない。いかないでくれとすがってくれることはない。たとえそこで生まれたとしても、何十年暮らしたとしても。そんなあたり前のことをわかっていながらやはりいつのまにかある場所を深く思う。

待ち合わせの時刻を少し過ぎていることに気づきあわてて人の輪からはなれる。濡れた石畳の道を急ぎ、次にいく場所のことを思う。また見知らぬ町についてこっそりと地図を広げ、ぐるぐるまわしながら自分の位置をたしかめる自分の姿を思う。もう人は無数のパブへそれぞれおさまりきってしまったのか、町はひっそりとしている。

近道をしようと細い路地に入ったのが失敗だったのか、もう何度も歩いたこの小さな町の中で私はまた迷子になる。地図は持っていない。人も歩いていない。川に棲むかもめがばらばらと夜空に飛び立ち、街灯に照らされた腹を白く光らせて頭上を行きすぎる。ひたすら歩いて知っている通りにでるのを待つしかない。夕食を食べそこねたので腹が減っている。歩いても歩いても知っている通りにはでない。大通りに明るさの切れ端は見えず、クリスマスの飾りも見当らなくなってくる。角を曲がるとうらぶれた通りに、ギネスマークの看板が薄ぼんやりと灯っているが、知っている店ではない。だんだん自信がなくなってくる。戻ればよかったと頼りなく後悔する。急ぎ足は駈け足になり、斜めに細かい雨が降るなか、私は静まりかえった路地を走る。握るのがつらいほど手が冷たくなり、コートのポケットに両手を押しこめる。右手が硬いものにあたり、ふと足をとめ、握ったそれをそろそろとだしてみる。

小さな牡蠣の殻である。そのちぐはぐさは、不安を一気に吹き飛ばすほどにおかしい。牡蠣の殻を握ったまま右手をまたポケットに差し入れ、だいじょうぶだいじょうぶと、歌うようにつぶやきながら路地をすすむ。冷たい掌の中で牡蠣の殻は硬く、静かにまるい。私は笑って、たばこの煙のような白い息を吐く。

私はたぶんポケットにこうした何かくだらないものを入れながらいつも、無関心をきめこむ場所を愛したり憎んだりし、その場所をでて、また見知らぬ場所、あるいはよく知った場所を目指しているのだろう。

　ポケットになぜか牡蠣の殻が入っている。ひょっとしたら数週間前に海辺の町で牡蠣を食べて、あまりのおいしさに感動し、洗面所できれいに洗い記念のつもりでポケットに忍びこませたのかもしれないし、海岸沿いに落ちていたそれを何気なく手にして、凍るように冷たい海水ですすいで持ち帰ったのかもしれない。どういうわけだか牡蠣の殻がひとつ、ころりとポケットに入っている。牡蠣のことなんかまったく忘れていて、地図も持たず人もとおらない細い路地の片隅で、腹をすかせ、寒さに身を縮こまらせ、自分がどこをどうすすんでいるのか、戻るにしてもどう戻ればいいのか、そんなことがまるきりわからず途方に暮れたとき、ポケットにつっこんだ手がふと牡蠣の殻に触れる。それを軽く握ってみる。このかたち。このでこぼこ。この感触。それからポケットに牡蠣の殻がそのまま入っている、そのばかばかしさ。その小さな意味のないものが大通りの明かりより、こと細かい地図よりも私を安心させ、笑わせる。

　牡蠣の殻を軽く握ったまま歩くうち、ようやく見覚えのある明かりを見つける。郵便局の看板を照らす、小さな橙のまるい明かり。郵便局の並びを少しすすめば、約束の店はある。

ギネスマークの看板の下に客のチェックをする男たちが立っている。パブが混む週末、大きめのパブの前にはいつも若すぎる客をはじく役目の男たちがいる。男たちはドアを開けてくれるそぶりをするが、人であふれかえって扉は半開きになっている。またもや満員電車状態である。からだを斜めにしたりしゃがんだり、声をはりあげて道を空けてもらったりしつつ、たばこの煙と音楽と、人の話し声が充満する店内を歩いて知り合いを捜す。立つスペースだってやっとだというのに、老夫婦が曲にあわせて踊っている。知り合いはどこにひそんでいるのかそう簡単には見つからず、捜しだすよりさきに黒ビールを注文する。片手にグラスを、片手に牡蠣の殻を握ったまま、混み合った店内をゆっくりと歩いていく。黒ビールのグラスに口先をつけてごくごく飲むと、鼻の下に、白い泡のひげができる。見知らぬ人が私の鼻を指して笑う。

黒い液体がだんだん残り少なくなり、グラスの縁に残った夕暮れどきの影みたいな泡がゆっくりすべり落ちるころ、ようやく知り合いの顔を遠くに見つける。少々酔っ払ったその顔は、さっき見つけた、郵便局のまるい明かりみたいに光っている。

空という巨大な目玉——モロッコにて

　家の近所でも歩き慣れた繁華街でも、たいていどこでだって迷っているから、旅先の異国で迷うのは当然の話、しかも、迷うことが名物になっている城壁に囲まれた旧市街——巨大なメディナ内で、迷わないほうが異様なことである。そういうわけで、どこかへたどり着く、とか、何時にはここを出る、とか、そういった目的をいっさい捨てて、私はただ道が延びていれば進み、左右に曲がり角があればどちらか、より魅惑的な方向を選んで曲がり、マラケシュのメディナをただひたすら歩いている。どちらが南でどちらが北、門の外に広がるフナ広場はどっちで巨大モスクがどっちか、とうにわからなくなっている。

　メディナ内のスークと呼ばれる市場は広く狭くくねくねと続いていて、頭上はひさしで覆われていたり屋根がついていたりして、路上はひどく薄暗い。屋根の継ぎ目やひさしの合間から、棒状の、金色の光がぽたぽたと落ちていて、それを拾うようにして歩く。そこここにあるカセットテープ屋が、大音量でアラブ・ポップスを流し、それらは混じりあって滑稽なほど重厚で複雑な騒音になっている。間口一間ほどの店が軒を連ね、退屈そうに店先に座った男たちが、ジャポンもしくはチノ、シノワ、だの、ヘイ！　ナカタ、だのと声をかけてくる。頭にスカーフを巻き、ジュラバという民族衣裳を着た男たちや女たちが、すれ違いざまちらりと見慣れぬアジアの女を見る。

店の気配のまったくない、細い路地に私は足を踏み入れる。路地奥で子どもたちが遊んでいる。人がすれ違うのがようやくくらいの細い路地なのに、子どもたちは器用に走りまわってサッカーをしている。両側に続く高い塀の上に屋根はなく、細長い青空が見える。子どもたちがサッカーをやめ、突然路地に進入してきたアジア人を見つめる。口々に何か言うが、何ひとつ理解できる言葉はない。

彼らを通りすぎてますます細くなる路地を進んでいくと、ふいに、すとん、と深い穴に落ちてしまったかのように、いきなり静寂がおそう。子どもたちの遊ぶ声も消え、アラブ音楽の残り滓も完全に消え、どこかの住宅からときおり聞こえていた話し声、食器のぶつかりあう音、そんなものもいっさい消えて、細長い空と、住居を覆う壁と、私だけになる。

人の気配がする。だれかが私にものめずらしげな視線を向けている。ひとけのまるでない路地奥で、私はすがるように視線の出所を捜す。頭の上には細く青い空、両側は崩れ落ちそうな高い壁、背後にはどこかに吸いこまれるように道が延びているだけで、どこにも人の姿はない。けれどたしかに、だれかがじっと息をひそめて私を見ている。この国の宗教が、道と家の関係、道幅や通路側の窓、相互の視線の関係においても細かく法を定めているとどこかで聞いた覚えがあるが、それ自体理解できない私に、姿の見えない視線はただただ不安をつのらせ、何かからのがれるように急いでもときた道へひきかえす。

狭い路地の壁という壁に絨毯《じゅうたん》を吊り下げた店が並ぶ通りを早足ですぎ、真鍮《しんちゅう》や、金や銅の店がひしめく薄暗い通りを歩く。薄暗闇のなか、店の奥の奥までぎっしりと並べられた金細工の雑貨が鈍く光を放っている。この通りの店主たちは、ひょろひょろと不安げに歩く旅行者に声をかけてこない。店の奥から何をするでもなくじっとこちらを見ている。動かない彼らの目は、彼らの売る金色の品物と同じにひんやりと光っている。路上で、一人の男がしゃがみこみ、バケツの水で金製品を洗っている。バケツから水はあふれ、暗い通路に細く黒々と流れていく。

真鍮と金の通りをすぎて、革のにおいを嗅《か》ぎながら静かな通りを歩き、鉄をたたく音があたり一面に響くにぎやかな路地を進み、ふたたび方向感覚が失われ、ふと見ると、前方にバケツを抱えてしゃがみこんだ男がいて、その姿には見覚えがある。前方にしか進んでいないのに、どういうわけだか気づけばまた金と真鍮の真ん中に私はいる。そんなことを三、四回くりかえし、くりかえしていることにも気づかないのにかならずバケツで金を洗っている男に出くわし、男は次第に幾度もわきをすぎる私に気づいて、目があうたび笑いかけてくるようになる。迷ったんだなあんた。低い声でそうつぶやいているような、どこか不敵な笑い。あたふたと男の視線をのがれて先を急ぐ私の頭のなかに、ぼんやりと映像が浮かぶ。全裸の女が背をまるめ、一心に軽石でかかとをこすっている。台所の床に焦げた魚が落ちている。女の白い、少々肉もたるんだ腕が枕をたたく、四回、五回、六回、六回で腕は動きをとめる。

起きながら夢を見ているみたいに、次々と思い浮かぶ脈絡のない淡い光景はさらに私を焦らせて、いつのまにか小走りに近い速度で歩いている。

　前へ前へと歩いて、歩いて、道が分かれて曲がって、さらに前方へ進んで、それで数メートル先にまたバケツ男を見つけてどっと疲れが押し寄せる。空間を横に移動しているのではなくて、時間を縦に移動しているんじゃないかと本気で思う。このメディナのなかは時間が渦巻き状に道をつくっていて、私自身がこわれたレコードみたいに、渦の同じところでひっかかってもとに戻る、そのくりかえし。しまいに私は数歩先を歩いている自分の後ろ姿を見た気分になる。足を引きずって、不安を押し殺すために不必要に背筋を伸ばして、それでも落ち着きなく目線をあちこちにさまよわせて歩く、たよりなげな自分自身の後ろ姿に、私は追いついてしまう。

　それから気づく。さっきから私のなかで幾度も浮かび上がる光景の、目線は幼い私で、それが追っているのは母親の姿である。くりかえし脳裏に浮かぶのは、かつて私がそのなかにいた生活である。乾燥した熱気と埃と革やスパイスの混じりあった異様なにおいのするこの場所で、それはばらばらの断片になって、幾枚ものカードみたいに目の前に散らばっては消えていく。今まで思い出したこともないものが鮮明によみがえるのは、やっぱり私が時間軸のなかで迷っているからではないのか。

迷っていることにではない、そんな錯覚を抱いてしまうことの不気味さに観念して、近くにあった布地屋に私は飛びこむ。店の奥では小さな子どもが足踏みミシンの前でかばんを縫っている。顔をあげ、私を客と勘違いして満面に笑みを浮かべる。

「フナ広場はどっち？」もちろん英語が通じないことはわかっているが、とりあえずそう訊いて、自分が道に迷ったと示すジェスチャーをする。男の子は首をかしげて何か言う。今度は私が首をかしげる。男の子はフランス語に言いかえるが、それも私にはわからない。彼は店を飛び出てどこかから大人を連れてくる。しかし、その大人もまたアラブ語とフランス語しかしゃべれず、私は慎重に、ジャマ、エル、フナ、と発音する。二人は顔を見合わせ、口々にフランス語でしゃべりかけてくる。朝カフェで書いていた絵はがきをまだ持っていることに私は思いあたり、バッグからフナ広場の絵はがきを取り出して、ここだ、ここにいきたいのだと告げる。ああ！　フナ広場か！　二人はようやく理解して店の外に私を連れ出し、最初の角まで私とともに歩き、この先をまっすぐいけ、と身振りで示す。礼を言って進み、

しばらくしてふりむくと二人は角に立ってこちらを見ている。ありがとうと手をふり、さらに歩いてふりかえるとまだそこにいる。ありがとうとつぶやいて頭を下げると、彼らもなぜか、私と同じように頭を下げて、小さく手をふる。並んで手をふる彼らの周囲に、細い光が直線を描いて地面に落ちている。

言われた方角に進むと、すぐ見覚えのある場所に出る。店先にジュラバが重ねて吊り下げられ、クミンや唐辛子やタイムといった強めの香辛料が混じりあったにおいが流れてきて、あざやかな黄や橙の粉末スパイスを山と積んだスークをすぎて直進すれば、メディナのスーク街を抜けることができる。こんなに簡単だったなんて。やっぱり、私は時間の渦のひっかき傷に足をとられて、幾度もくるくる同じ場所をまわっていたに違いない。

お祈りの時間ですよ、さあ祈りましょう、と呼びかけるアザーンの放送は一日に五回町じゅうに響きわたる。早朝の第一回放送より早くに目覚め、昨日メディナのスークで買った紺のジュラバに袖を通す。男も女も着ているその民族衣裳は、フードのついた長袖のネグリジェみたいなもので、前後左右どこからでもジャポンだのチノだのと声をかけられることに厭き厭きしていた私は、それを着て頭をすっぽりスカーフでくるんでしまえばだれも気にとめないだろうと思ったのだ。フロントの男は大げさに驚いて見せ、ナーイス、ジュラバ！　と宿賃の精算をしながら幾度も言う。

ジュラバにデイパックという出で立ちはどう見ても珍妙で、逆に注目を浴びそうだったが、砂漠に向かう長距離バスの発車時間は早朝で、バス停に向かう道にあまりひとけはなかった。デイパックをバスの荷物係に預け、やってきたバスにそそくさと乗りこみ、うしろの席で窓に顔を近づける。昼間は怒りを含んでいるような太陽も早朝はおだやかでやわらかい。乗客は次々と乗りこんできて思い思いの席に着く。子ども連れの太った女、夫婦らしき二人組み、大荷物の若者、客のほとんどがアラブ人で、うしろの座席にこっそり座る異国人を気にするものはだれもいない。

予定より三十分遅れてバスは走りだす。新市街の中心を抜けて、朝の光を存分に浴びた町を走る。赤土色の平地にピンクの建物が林立するにぎやかなマラケシュの町をバスはすべるように出ていく。

バスのなかで眠ろうと思っていたのに、いつのまにか私は汚れて曇った窓に顔をひっつけておもての景色を呆然と眺めている。町をすぎて、両側に建物は見られなくなり、背の低い木々や濃い緑の生い茂った畑を左右に眺めてしばらくすると、いきなり何もなくなる。空の下に、ただ大地が広がっている。いぼみたいに石ころが散らばり、ところどころ黒いビニール袋が落ちているが、そのほかには何もない。何にも遮られず彼方の彼方まで平たい、茶色い大地が広がり、遠くの一点で空と交わっている。

石ころ以外何もない場所を、ひとりの男が歩いている。男は寸足らずのスーツを着こんで、右手にビニール製のかばんをいくつか、左手にワイシャツを何枚か持って、生真面目な顔つきで歩いている。男の手にしたそれらが売りものであることはすぐにわかるが、いったい彼がどこから歩いてきて、どこへ向かおうとしているのか、だれを相手にそれらを売るのか、私には見当もつかない。いつのまにか強度を増した陽射しの下で、私は数秒のあいだ幻を見ているのかもしれない。

バスは山道を登りはじめる。対向車がすれ違うのがやっとの細い道路をハイスピードで走り、さっきまで私が見ていた平たい空間は、あっというまに眼下に広がる。バスは巨大な山の中を走る。乗りこんだときと同じに、窓に額をはりつけたままの私はすでに、山だとか、道だとか空だとか、そうした言葉を失い、だらしなく口を開いてそこにある世界に見入っている。

目のまえに展開されている場所に、私の知っているいかなる言葉も当てはまらない。岩と土の果てしなく盛り上がったなかに、襞のような線が続き、眼下にはただの茶色い布地みたいな平地が広がっている。生命の存在しないと言われる惑星に降り立った最初のだれかは、きっと私みたいにただ口を開いて言葉を失ったんじゃないかと思う。そうして、言葉を失ったそのために、自分がまる裸にされてそこにいる感覚を味わうんじゃないか。

空の青と、山々の茶しかなかった世界に、次第に緑がちらつきはじめ、いきなり、みやげもの屋や食堂の密集するたいらな場所が広がり、バスはとまる。あたり一帯は休憩所らしく、長距離バスが幾台も並び、どの店もバスから降りてきた客でごったがえしている。

ひどく空腹だった。バスを降り、食堂を一軒ずつのぞいて歩く。どの店も軒先にドラム缶みたいな装置を出して、炭火で羊や牛の肉を焼いている。その香ばしいにおいとともに白煙があたり一面にたちこめ、ジュラバを着て物色している女が東洋人だと理解した男たちが、フランス語でしきりに何か話しかけてくる。

一軒の店を選び、羊の肉をパンにはさんで、ポテトを添えてほしいと手振り身振りで伝え、奥のテーブルについて甘いミントの茶を飲む。ミント茶はこの国のもっともポピュラーな飲みもので、中国茶と生のミント、驚くほど大きな砂糖の塊を銀のティーポットにつめこんで、小さなグラスとともに出される。銀のポットをうんと高くあげて、細く茶を注ぎこみ、泡立った熱々の茶を飲む。

どの店も軒先にパラソルつきのテーブルを並べていて、長距離バスの発着時間が重なりあっているらしく、店員たちはせわしげに、おもてのテーブルと奥の席を行き来して注文をとり、品物を運ぶ。やがて私のテーブルにも羊肉のサンドイッチが運ばれてくる。まるいアラビアパンを二つに切って、そのなかにトマトと羊肉、フライドポテトまでがぎっしりつまっている。隙あらばご相伴《しょうばん》にあずかろうとする蠅《はえ》を追い払い追い払い、私はサンドイッチにかぶりつく。

薄暗い店内からまぶしいおもてを眺めていると、次々とバスが到着し、狭い座席から解放された人々は晴れ晴れとした顔つきでバスを降り、並ぶ店々を物色して歩いている。客を呼ぶ声、叫ぶように会話する人々の声、店々が好き勝手に流すアラブ・ポップスで、往来は祭のようににぎわっている。店の奥でサンドイッチを食べる女がアジア人で、しかもジュラバを着ていると気づいた幾人かは、無遠慮な視線を数秒私に投げかけてから通り過ぎていく。手のあいた店員のひとりが、店の軒先から私をのぞきこみ、目が合うと色気たっぷりにウインクをする。無視してもくりかえす。あんまりにもしつこくウインクし続けるので私は笑いだす。彼はそれを見て、今度は熱にうなされたような表情で投げキスをする。

ミント茶の銀のポットにはっとするほど大きな蠅がとまっていて、顔を近づけても逃げる気配がない。蠅は、まず後ろ脚をあげてこすりあわせ、その後ろ脚で両の羽を撫でつけ、次に前脚をあげてこすりあわせ、それから前脚で後ろ脚を掻く。蠅の脚には細かい毛が生えており、薄い羽にはガンジャの葉によく似た模様がある。ときおり舌を出して、銀のポットをぺろりとなめる。蠅などにあまり興味はないが、こんなにあちこちが精巧に作られているなんて今まで知らず、私は息をひそめるようにして、巨大蠅を観察している。蠅は執拗に同じ動作をくりかえし、そこに視線を注いでいると、おもての喧騒が遠ざかり、静寂のなかでそこにいるのは私と蠅だけになる。ふと気まぐれに蠅が飛び立ってしまうと、何か裏切られたようなせつない心持ちになる。

勘定を払って戻るが、さっきまで乗っていたバスが見当らない。どんな車体だったか忘れているだけだろうとのんきにバスからバスへ移動してみるが、私の乗ってきたバスはどこにもない。運転席でたばこをふかしているバスの運転手にバスチケットを見せて、バスがないとくりかえすと、男は腹の肉をゆらしながら降りてきて、一緒に捜してくれるが、ひととおりあたりをまわったのち、ない、と首をふった。バスはいってしまった。私のデイパックを荷物入れに詰めこんだまま。

蠅なんか見ている場合じゃなかった。いや、ジュラバなんか着ているからいけなかったのだ。アジア人がひとり混じっているとだれかほかの乗客が気づけば、バスが出る間際にアジア人がいないと気づいていてくれたはずだ。様々な後悔が頭のなかをよぎるが、バスにおいていかれたという情けない事実は何もかわらない。

大学時代私は第二外国語としてフランス語を学んでいて、けれど授業はさっぱりわからず、また何がわからないのかすら私にはわからず、人が二年で終えるものを四年かかってなんとか終業したのであるが、四年学んでいてさえ覚えているのはたった一言、ジュテイム、という歌謡曲の一節みたいな文章だけで、ああ、あのときもう少しまともに勉学にいそしんでいればよかった、とアフリカ大陸の北の端でしみじみ後悔した。アラブ語とフランス語を用い、英語のまったく通じないアトラス山脈ど真ん中のドライブ・インで、荷物をつんだままバスがいってしまったのでどうしたらいいのかわからない、というそれだけの文章を伝えるのに、十数人の人の力と数時間を費やさなければならなかった。

食堂の店員、カタコト英語の似非《えせ》ガイド、バスの運転手、フランス語のしゃべれるバックパッカー、やじ馬、英語はわからないのに人助けをしたくてたまらない初老の男たち、などと伝言ゲームのようなやりとりをして、そのなかから不必要な言葉――おまえはなんでジュラバを着ているんだ？　ひょっとしてイスラム教徒なのか？　日本てのはいい国だなあ、おれも日本で仕事がしたいよ――を聞き捨てて、私が理解したことは、目的地のバス会社に荷物を保管してくれるようほかの運転手が電話で頼んでくれたので、目的地についたらそのバス会社にいけば何も問題はない、ということと、その町までのバスは夜までない、ということだった。

最後に説明をしてくれた似非ガイドらしい男が、話のあとにインシャッラー、神さまの気が向けばね、という例の言葉をつけたしたのが不安だったが、理解できれば多少は安堵できる。続けざまに似非ガイドは何かの商談をフランス語混じりの英語で持ち掛けてくるが、無視してその場にしゃがみこみたばこに火をつけ、見まわすとあれだけとまっていたバスはほとんどが姿を消していて、あたりには食堂から流れる獣のにおいの白い煙だけ、人々の姿もなく、視界の隅で、さっきの店員がまだ厭きずにウインク攻撃を続けていて、一気に力が抜けていく。

その場で私の持ち得る選択肢はただひとつ、夜のバスを待つ、ということだけだったが、たったひとつの選択肢しかないことがなんだかしゃくにさわって、やむことなきウインク攻撃にもうんざりしはじめ、私は意を決して腰をあげる。この広場を出たら、無という言葉とかぎりなく近い威圧的な光景が広がっていることは理解している、もちろん目的地まで歩こうなんて思ってはいない、けれど山道を歩いていたら乗り合いタクシーがひょっこり通るのではないか。もし一、二時間歩いて車がきそうになかったら戻ってくればいい。それでも夜のバスには充分間に合う。高揚した気分を味わいながら水を一本買い求め、私はその場をあとにする。ジュテエムと、私も知っている言葉をウインク男は叫んでよこす。

歩く私の目の前に山は万華鏡みたいに入り組んで歪みながら広がっている。時計を見るとたしかに一時間は経過しているのに、まったく同じ場所で足踏みをしている感覚が私を襲う。この景色には、雄大とか壮観とかいう形容が似合わない。しわしわの茶色い布地みたいな山並みは、残酷とか無慈悲などと形容するほかなく、おそらくその景色の持つむきだしの野蛮さのために私は目を離すことができない。

前方のカーブから突然数人の子どもがあらわれ、私をぎょっとさせる。服を何枚も重ね着したその格好で、彼らが遊牧民の子どもたちだということに気づくが、さっきワイシャツを持って歩いていた男と同様、彼らがどこからきてどこへ向かっているのかあまりにも理解不能なために、ひっそりとこちらに向かってくる子どもの群れは強烈な陽射しのなかでやはり幻みたいに思える。遊牧民の子どもたちは愛想がない。すれ違いざま、宇宙人でも見るかのようなねばっこい視線を向けてくるが、メディナの子どもたちみたいに声をかけてくることも笑いかけてくることもなく、小銭を要求せず媚びを売ることもない。永久に交わらず理解しえないもの同士のように私たちはすれ違う。ベスラーマ、と、覚えたてのベルベル語を小さくつぶやいてみるが、子どもたちはねばっこい視線のまま無言で通りすぎていく。数メートル歩いてふりかえると、五、六人の子どもの群れは私のことなどとうに忘れたように無言のまま、ふりかえることなく身を寄せあって歩いていく。どこか、彼らの生活があるのであろう場所に向かって。

彼らの姿が細い道路の彼方に消えてしまうと、あたりはふたたび無音になる。私はその場に座りこみ、たばこを出して空を見上げる。空は巨大で、蓋のようにまるく世界を覆い、その巨大さは、たばこと小銭の入った財布以外、自分が何ひとつ持っていないことを改めて気づかせる。インシャッラーと、今まで幾度か聞いた言葉を声に出してみる。

神のみぞ知る、とか、神さまのお恵みがあれば、という意味らしく、マラケシュで知り合ったモロッコの若者はそれを、「英語のメイビーと同じ意味だ」と言った。メイビーとは違うでしょう、本質的に違う言葉でしょう、と言うと、いいや、メイビーだ、と言いはったが、おそらく彼が英語でメイビーと言うとき、きっとそこには彼らの信じる神のいいかげんな意志が含まれているのに違いない。

彼と一緒にいったバーで——イスラム圏にバーがあること自体疑問だが——、イスラム教徒なのにどうして酒を飲んでもいいの？　と尋ねると、彼はふいに生真面目な顔になり、ここにまずおれがいて、おれの生活がある（と右手をテーブルに置き）、それからここに神がいる（と左手を高くあげ）、だからいいのさ、とよくわからない答えを口にし、大仰な笑い声をあげてふたたび国産フラッグビールの小さな瓶に口をつけた。別れ際彼は、サラーム――神のお恵みがありますように、と私に手をふった。

この場所の神さまは彼らが酒を飲むのを許し、旅行者から金を巻き上げることを喜んで奨励し、貧富や不条理に無関心で、飛行機からバスにいたるまで望むように遅らせて、気まぐれのままに、ある場所に水を流し緑を繁殖させ、ある場所には日陰さえも作ることを許さず、合理性をいっさい無視してうつくしさだけを探求するかのように砂の地を作ってみたりする。

手にしたたばこに火をつけることなく、ぬるくなったミネラルウォーターを飲み私はふたたび歩きはじめる。額の汗を拭い、ジュラバのフードをかぶって陽射しを遮り、無音のなかをただひたすら歩く。あたりには何もないのに店と路地のひしめくメディナを歩いているのとそっくり同じように、ある時点でひっかかり、永遠に同じ場所に戻る錯覚を抱く。

私は円を描くようにぐるぐると同じ場所をまわり続けて、そうして円の中心にけっして入ることができない。もし円の輪郭からのがれて、そこに一歩でも足を踏みいれることができたら、たちどころに私は、いいかげんな神さまや、無人地帯を歩く物売りや子どもたちの行き先や、複雑怪奇なメディナの路地を理路整然と理解することができるだろうに。

いや、それだけじゃない。メディナで、バスのなかで、ひとけのないこの山道で、順不同にばらまかれる記憶の断片、私自身の目にとどめられた記憶のなかの生活そのものもまた、足を踏みいれることのできない円の中心にある気がする。母親が背をまるめかかとを石でこするそのさまや、どちらを上にして盛りつけるのだと教えられているうちにリノリウムの床に落ちた魚や、朝起きる時間の数だけ枕をたたけば目覚まし時計よりも確実に目覚められるという迷信めいたことがらや、私自身をつつむ日常のなかにいてさえすべてが理解不能で、くりかえされる生活そのものを、まるで異国の光景を眺めるように私はずっと眺めてきたみたいに思える。無力な旅人のように。

さっきと太陽の位置が違うから、時間が経過していることは理解できるが、私はもう腕時計を見ない。車が一台わきを通りすぎ、大きく手をふってみるがとまることなく過ぎ去っていく。あたりがもとどおり静まりかえり、私はだれかに見られていると感じて立ち止まる。だれかがどこかから私を見ている。

メディナの路地のつきあたりでそうしたように、立ち止まり、周囲を見渡し、それがどんなに馬鹿げた勘違いか知る。前方に折り重なってそびえる茶褐色の山脈、切り立った崖、眼下には植物の一本もはえないたいらな土地がかすんで見える。人もおらず獣もおらず、空には鳥の姿もなく、虫すら飛びまわっていない、不毛と呼んでいい場所に私はただひとりいるのだ。静寂のなかふたたび歩きはじめるが、やっぱりどこかからだれかが見ていて、私はふと頭上をあおぎ、空だ、と気づく。

異国を旅するたびに、そこにある空の表情が違うといつも私は思っていて、そういえばここモロッコの、世界全体に蓋したような巨大な空は、何か意志を持ってこちらを見下ろしているように思える。どこにいっても見られている。頭上に空があるかぎりその視線からはのがれることができない。

私はこの国の人々の宗教を感覚的に理解することはできないが、この巨大な視線を持った空を、私の知っているほかの言葉で表現しようとすれば、神という言葉がもっとも近しいように思える。

旅先で私がつねに興味を抱くのが、その場所に存在する神さまで、特定の宗教を持たない私は彼らの神さまを頭ではなく感覚として知りたくて、どこへいってもすたれていない宗教施設を訪れる。石造りの壮大な教会や圧倒されるほど微細なステンドグラスや、ゆったりとほほえむ極彩色の仏像や、尖塔に宝石を埋めこんだきらびやかな寺を、自分でもよくわからない期待を持って訪れては、きまって同じ感想を持ってそこをあとにすることになる。なんだ、からっぽじゃん。それは神を知らない私の浅薄な感想だと今まで思っていたけれど、モスクもない、アザーンも聞こえてこない、音のない山道で空を見上げ、私は神というなじみのない言葉を思い浮かべている。

かすかに山羊の鳴き声がして、ふりむくと背後から一人の老人が歩いてくる。前脚と後ろ脚をそれぞれ縛った山羊を、マフラーのように首にまわしてかつぎ、彼は黙々と歩いてきて私を追い抜いていく。山羊は老人の背中でメエエエ、メエエエと悲愴な声をあげ、追い抜きざま老人は低く、ボンジュール、とつぶやく。

老人のうしろ姿は山脈に吸いこまれていくように遠ざかり、山羊の鳴き声があたりにこだまして残る。

太陽の傾きで茶褐色の山並みが金色を帯びはじめ、あきらめてもとの広場へ戻ろうかと思いかけたとき、埃だらけの黒いベンツがよたよたと走ってくるのが目にはいる。車道に飛び出して手をあげると、ベンツはとまる。運のいいことにそれは乗り合いタクシーで、運転手は訛りの強い英語をしゃべった。私の目指す町まではいかないが、途中まではいく、そこからさらに乗り合いタクシーがあるはずだからそこで乗り換えればいいと、なぜだか上機嫌で運転手は言い、私は後部座席に乗りこむ。三人の先客がいた。同じくらい太ってよく似た顔立ちの二人の女、あとは痩せぎすの貧相な男で、彼らは私をじろじろと見てたがいに言葉を交わす。車のなかはコーランのテープがすさまじい大音量でかかっている。

乗り合いタクシーは走りはじめ、数分後、山羊をかついださっきの老人が道路わきで手をあげているのが見える。老人と運転手は協力して車の上の荷台に山羊を縛りつけ、老人が助手席に落ち着くと走りだした。流れ続けるコーランの合間に、メエエ、メエエと山羊の鳴き声が響く。

　山をくねくねと下っていくとただの茶褐色でしかなかった光景に、背の低い灌木が見られるようになる。なだらかな山の傾斜にへばりつくように小さな集落があり、しかし建物はみな四角く土色で、それも気候と風土が偶然作り上げた天然の造形物のように見える。

　集落を過ぎるとふたたび、視界は土と灌木と崖のみになるが、ぽつりぽつりと人の姿が目につくようになる。いったん下りが終わって車は平地を進む。空の下でむき出しにされたような荒れ地に、寝ている男がいる。土をかき集めもりあげて小山をつくり、その山がつくる小さな小さな影に頭を置いて、倒れるようにして眠っている。遠くに遊牧民の黒く低いテントが見える。灌木の作る淡い影のなかに、白いジュラバを着た数人の老人がまるく輪を作って座り、何かを話し合っている。

　いっときも目線を外さない巨大な視線の下、どこにも生活がある。私の意志とは関係なくふたたび記憶のカードは私の目の前にばらまかれる。前を歩く母の日傘、夕食を照らす明かり、テレビの前に寝転がった父の姿、酒のにおいを残した空のコップ。理解しようがしなかろうが何ごともなく続いていく日常。淡いピンクに色を変えはじめた空は異様に巨大で、この、無関心で無作為で無意味な視線は、空間も時間もごっちゃにしてありとあらゆるものの上にかぶさっている。この空はとぎれることなく東の果てまで続いていて、神という言葉を介在させずにくりかえされる生活をもひそやかに見つめているのだ、と思う。今もこの空の果ての下で、白くふくよかな母親と、うしろ姿の父親と、周囲で起きるいっさいを理解できないままそれらを見ている幼い私が暮らしているような気がする。そこではみな前へ前へと進んでいると錯覚しながら、円の縁をぐるぐるとまわっている。

ここに私がいて、私の生活があり、バーで若い男がいった言葉を私はくりかえしてみる。そうして見上げればいつも空がある。見守られていると感じるときがあり、どこへいこうがのがれられないのだとあきらめるときもある。

コーランのテープがふととぎれ、土埃で濁った窓の外、乾燥し荒れ果てた大地に小さな絨毯を敷き、地面に額をこすりつけ次には空を大きくあおぎ、熱心に祈るひとりの老人の姿が見える。

幾人もの手が私をいくべき場所へと運ぶ

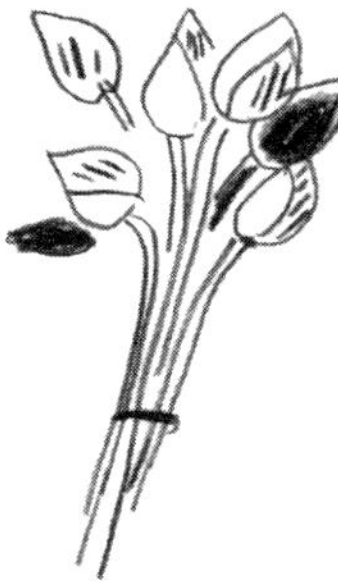

カサブランカから南へ、東へ、それから北へと順繰りに移動して、三週間が過ぎたころ、自分がモロッコ的なものすべてに飽きていることに気づいた。タジン、クスクス、プロシェット、とくりかえされる食事にも、百メートル歩くあいだに誇張でなく三十人にはチノ、ジャポン、ナカタ！（中田選手は世界のヒーローなのだった）と声をかけられるその状況にも、アラブ語とフランス語の響きにも、照りつける太陽も埃っぽい空気も新市街とメディナで成り立つ町の構造にも、飽き飽きしていた。

飽きたとつくづく実感したとき、運のいいことに私はタンジェという、アフリカ大陸のはしっこにおり、ホテルから見下ろせる海を渡ればその向こうにはスペインがあり、スペインの先はポルトガルへと、フランスへと続いているのだった。スペ

TRIP
CARAVANE
MEHAREE
EXP
04 846123

インにはずっと昔いったことがありあまり興味を持てず、フランスという国にもまったく興味が持てず、ただ、ポルトガルにはいきたかった。

よし、ポルトガルだ、ポルトガルまでいってみよう、突如そう決め、そう決めると気分はまるで自宅で旅仕度をしていたときとそっくり同じにもりあがり、ホテルの部屋を飛び出してフロントの老人に明日チェックアウトすると伝え、だいたい地理をつかんできたタンジェの町を歩きまわって、スペインへ渡るフェリーチケットを買ったり、古本屋でポルトガルのガイドブックを捜して歩いたりした。

結局スペインもポルトガルもガイドブックを見つけることはできず、モロッコの対岸、アルヘシラスというスペイン南部の町からどのようにしてポルトガルへ入ればいいのかわからずじまいだった。しかし、宿泊先のホテルのフロントわきに貼られた、色褪せた絵画地図をまじまじと眺めてみると、アルヘシラスからポルトガルまでは海沿いを進めばすぐ着くように思えた。

たとえば——地図に顔を近づけ親指と人さし指で私は計算する——メクネスからタンジェまでがバスでおよそ七時間だった、最短距離で見るとそれよりもう少し近いはずだから、アルヘシラスからバスで五時間ほど走ればきっとポルトガルに入れるのではないか。ということは、明日早くのフェリーに乗れば夕方まえにはもうポルトガルについている。私は浮かれ、およそ一世紀前に建てられたというホテルの、古びた廊下を小走りで部屋に向かい、荷物をパッキングしはじめた。

スペインへ向かう朝のフェリーはずいぶんすいていた。フェリー内の雑貨屋で両替し、何か飲もうと売店の前にたたずんで、しかしそのまま私の目は釘付けになった。パイやサンドイッチ、ピザやデニッシュ、カウンターに設置されたショーウィンドウにはそんなものが色とりどりに並べられ、巨大な冷蔵庫にはビールやワインがぎっしり詰められ、生ビールすらある。モロッコにもサンドイッチはあるしイスラム圏だが自国製ビールだってある。けれど、一般的にあるのは羊のプロシェットをはさんだアラビアパンのサンドイッチだし、飲めるビールは小振りの瓶に入ったあくまで薄いフラッグビールである。私はふらふらとカウンターに近寄り、浮かれた顔つきで生ビールとハム・サンドイッチを頼んだ。

三週間ぶりに飲む生ビールと三週間ぶりに食べるハムだった。ビールは少々ぬるかったが「これがビール！」と叫びだしたいうまさだったたし、サンドイッチのパンは端が乾燥していたが、サンドイッチとはこんなにおいしい食べものだったのかと情けないくらい感動した。人が何かを心からおいしいと思うなんて、案外とかんたんなんだなあ、と私は思った。たった三週間、食べ慣れたものから隔離させられれば、それだけでこんなに感動できるのだ。

もの珍しさと感動のあまり、船がアルヘシラスに着くまでの二時間半、私は生ビールを飲み続け、フェリーをおりるころにはちょうど具合よく酔っ払っていた。時差は二時間であり、スペインは今何時だというアナウンスが船のなかに響いていた。

フェリー乗り場のインフォメーションにいき、ポルトガルにいきたいんだけれど、どうしたらいいのだろうかと、ビールくさい息で私は訊いた。リスボンにいきたいの？　それともファーロ？　インフォメーションの、目も鼻も口も何もかもひとまわり大きな女が聞き返し、ファーロ、とスペインにより近い南部の町の名前を私は告げる。

それならアヤモンテにいきなさい、まずここからバスでセビーリャまでいって、そこからバスを乗り換えて、と、彼女は人よりだいぶ大きな目を動かしながら説明してくれるのだが、私は酔っ払っていて、海沿いに五時間走って、などという単純さではなさそうだぞ、ということがぼんやりと理解できるだけで、セビーリャから云々、という時点でもう何がなんだかわからなくなっている。アヤモンテ、アヤモンテ、と彼女がくりかえす、スペイン側の国境の町の名らしきものだけが耳の奥に響き、まあ、その名前だけ知っていればなんとかなるだろう、と私は彼女に礼を言ってバス乗り場を目指した。

しかしなんとかならなかったのだった。いや、結果的に言えばなんとかなったのであるが、なんとかするにはじつにたいへんな労力が必要だった。

私はガイドブックを持っておらず、ガイドブックなしでもへっちゃら、というほど根性もなく、そして、大半のスペイン人は英語がしゃべれず、もちろん私はスペイン語がしゃべれないのであった。そんなことすべてに気づいたのは酔いがさめるころで、時計を見るともう夕方、セビーリャにつくのは夜になってしまう、これはここで一泊して本気でポルトガルへのいきかたを考えなければいけないと、あわててホテルをとった。しかしホテルをとったものの、どうやって「本気でいきかたを考える」のか、ガイドブックもバスの路線図もなしにわかるはずがない、ポルトガルは遠いのね、とひとりごちるだけで、結局私は、不安感をまぎらわせるため外出してビールをしこたま飲むのであった。

さて翌日、無事アルヘシラスからのバスはセビーリャにたどりついた。そこからどうするのか、ここから先たよりになるのは駅に貼ってある地図とバスの路線図、けれど私は自分の住んでいる町でも迷うくらいの方向感覚欠如者だからそれらはいくら眺めてもあまり役にたたない、とすると、たよれるのは人だけである。

セビーリャのバスターミナルにあるインフォメーションで、覚えたばかりの国境の名、アヤモンテにいきたいと告げるが返ってくるのは早口のスペイン語、私はアヤモンテとくりかえすのみ、インフォメーションの女はしばらく私の目をじっとのぞきこんで——そうすれば人類はみんな言葉なくして理解しあえるのだと言わんばかりに——スペイン語をゆっくり、大きく発音してくりかえすが、そうして私がすんなりアヤモンテへのいきかたを理解すれば世の中にきっと、語学学校なんてものはいっさい存在しないはずである。

結局女はかなしそうに首をふり、紙切れに何ごとか書きつけて私に渡した。何が書かれているのか皆目わからないそれを見つめているうち空腹を覚え、駅に隣接したバーに入る。そうして私はふたたび気づく。何を、どうやって頼めばいいのか？

そもそも、この国にはいったいどんな食べものがあるんだ？

バスの乗り換えの人々で混んだバーの店主が、何？　何がほしいんだ？　というようなことをせわしなく私に訊き、そのとき私は神の啓示のように思い出した、生ビールはセルベッサ、ハムはハモーン、注文の際はプレファボールとつけたすのだ！　セルベッサプレファボール、ハモーンプレファボール、完璧ではないか。

かくして私は八年ほど前に旅したときのかすかな記憶の残り滓で、空腹とのどの渇きを癒すことができた。おもてに出されたプラスチックのテーブルでそれらを飲み食いしつつ、先ほど女に渡された紙切れと往来をかわりばんこに眺め、通りすぎた一台のバスを見送って、セルベッサ、ハモーンよりさらに深く感動的なことがらに思いあたった。女が書きつけたのは広場の名前であり、アヤモンテいきのバスはこのバスターミナルではなくその広場から出ているのだ、広場の名前の下に書かれたC3という記号は、その広場へ向かうバスのナンバーというわけだ。

食後私はその紙切れをもって、往来の人々に尋ねながらバス乗り場を捜しはじめたのであるが、言われるまま歩いていってもバス乗り場にたどり着けず、歩いていった先で迷子になり、ということをくりかえし、道ゆく大勢の人々の手によってふたたび元のバスターミナルに戻され、バスに乗ることを観念してタクシーをつかまえ、例の紙切れを見せアヤモンテと呪文のようにくりかえした。

そうかそうか、アヤモンテにいくのか、アヤモンテいきのバスに乗るならその広場でいいんだよ、しかしねえ、アヤモンテなんてなーんにもないけどねえ、と、おそらくそのようなことを運転手は言いながらナントカ広場へと向かった。

広場からバスに乗り、数時間後さらに数人の力を借りてもう一本バスを乗り換えて（そこがどこだったのかいまだに私は知らない）合計五、六時間をバスに乗ってすごし、ポルトガルとの国境の町、アヤモンテになんとかたどり着いたのであるが、さらにそこからフェリー乗り場へといきつかなくてはならない。ここまでアヤモンテと呪文のようにくりかえしていたのとまったく同じに、今度はポルトガルとつぶやき続けて人々の助けを乞わなければならなかった。

車を洗っていた男も、小さなパン屋でおしゃべりに興じていた若い女のアルバイトと客も、住宅街にぽつんとある派出所のハンサムな警官も、私の発音するポルトガルという言葉を理解するのに数分を要し、しかし理解するとたちどころに笑顔になって、往来へ出てきて早口のスペイン語をまくしたてながら、この道を直進しろ、それから右折しろ、そしてまた直進と、全身でジェスチャーし、確認のため私が、「ふん、ふん、ほんで右、それからふんふん、ほんほん、で曲がる、だね？」と疲れきって日本語で言い、同じ動作をくりかえすと、妙なことにみんな私の口調が移って、「ふんふん、ほんほん、ふんふん」と、日本語でもない、スペイン語でもない、珍妙な言語を口ずさみながら真剣な顔でもう一度ジェスチャーをくりかえすのだった。

ポルトガルに渡るフェリー乗り場に着いたときはもう夕暮れどきだった。川岸にぽつんとある粗末な小屋でその日最後のフェリーチケットを買い、フェリーの発着時間まで一時間ほどあったので近くにあったバーに入った。そうして、それしか知らない単語、生ビールとハムとつぶやいて昼飯とまったく同じ食事をし——フェリーのなかで食べたハム・サンドイッチほどの感動はすでになく、早くも飽きはじめていたのだが——、バーの客たちがテレビのサッカー中継に聞き取れない歓声を送るのを聞きながら店を出た。

川沿いにしゃがみこんで前方に流れる川を眺める。向こう岸に、たいらで、茶と白の入り混じった、地面にへばりついたような町が見える。暮れかかっていく空は

ARO
LISBOA
ESPANHA IP1
HOTEL APOLO
TAVIRA
AYAMONTE
AYAMONTE
AYAMONTE
PEDRITO DE PORTUGAL
FRANCISCO BARROSO
JUAN MANUEL SILVA
CAJA RURAL
Bailado em 3 acto
Pavilhão Dr. Eduardo Mansinho
julho 6 a 9
21h30

巨大で、厚いグレイの雲のはるか向こうに、隠れている太陽が放つ、橙とピンクの混じった色がかすかに漂っていた。あと数分で発車時刻なのにフェリーはなかなかこなかった。次第に風は強く、冷たくなり、長袖シャツを取り出して袖をとおす。

こんなところで私は何をしているんだ？　私はぼんやり思った。それは旅のさなか、ときおり私を襲う疑問で、けれどその聞き慣れた問いは、ひとけのないフェリー乗り場でいつもと違う感触で響いた。モロッコに飽きたからポルトガルへいくという動機はあるが、目的は何もなく、自分がどこにいるかまったくわからないのだ。

たとえば私はアヤモンテとくりかえし、人に導かれるようにしてここにきた。だからここがアヤモンテだと思っている。けれど、もしアヤモンテとよく似た響きの町があったとして、あのバスに乗れ、どこで乗り換えろと教えてくれた人々が違うほうの町を教えていたら、私はまるで見当違いの場所にいることになる。対岸がポルトガルだと私は信じているが、それは「ポルトガル」という単語をくりかえしてここにたどり着いたからにすぎない。この道をいけ、フェリーに乗れと教えてくれた人々が、ポルトガルをほかの地名と聞き違えていたら、私はまるきり見知らぬ場所を目指していることになる。いやもし、そのなかにだれかの意味のない悪意が混じっていたら、私はけっしていこうとしている場所へいきつけないだろう。

　低く垂れこめる空の下で、私はひどく心細かった。その場所がどこでもなくて、向かう場所もまたどこでもないかもしれない、という心もとなさと、そこがどこであるのかを知るためには、場所と自分と、なにかしらかかわりあい混じりあう接点を見いださなければならないのに、それがまったく見つけられない軽い恐怖感、その場で言葉を何ひとつ持たないというたよりなさ。川の水は風に吹かれて細かく波打ち、かもめがばらばらと頭上を飛び、人はまったくおらず、空は幾枚も布を重ねていくように色の濃度を増していき、きゅるきゅると冷たい風の音しか聞こえるものはなく、そのすべてが、私のかかえる心細さによく似合っていた。そして私は、その心もとなさ、たよりなさがそんなに嫌いではないことに気づいた。

　たいした目的もなく、地図も持たず、交わす言葉も持たず、町を移動する東洋の旅人はひどく無力である。その無力さを自覚するとき、私はひとつのことを知る。世界は私が思っているよりまともで、秩序だっている。秩序だたせているのは人々の持っている無自覚の善的なものにほかならない。

出会う人々の無自覚な善が、もし私をまったく違う場所へと運んできたとしても、おそらくたどり着いたその場所から、まったく同じものによって私はいつか目的地——目的のない目的地だったとしても——へと運ばれていくのだろう。心細さや、やっていることの無意味さやばかばかしさに押しつぶされそうになりながらも私がもときたところへ引き返さないのは、そう信じているからに違いなかった。

空はどんどん低く垂れこめ、太陽の姿はもう完全に見えず、昼でも夜でもない、あいまいな時間がおとずれる。黒い服を着たカップルがやってきて、チケット売場でチケットを買い、二人並んで川の向こうに目を凝らしている。曇っているせいですべてが薄い灰色の布地の奥にあるみたいだった。

この、薄ら寒い、一枚の布地にへだてられたような世界を前にして、そこに理由もなくしゃがみこんで寒さに震えている自分を唐突に記憶に残したくなって、私はカメラを取り出す。かもめが川すれすれに低く飛び、よりそったカップルの黒い衣服が風になびき、対岸の町が幻のように淡い、その光景に向けて私はシャッターを押す。セルベッサだのハモーンだのという言葉をまったく忘れてしまうくらいときがたっても、この一枚の写真を見たとき、心もとなさと不安を抱え、人の持つ善的なものにすがるようにして見知らぬ場所を目指していたことを思い出せるように祈りながら。

　川をすべるように小さな船がやってきて、チケット売りの男に手招きされ、私は立ち上がり、ふたたび無力な旅人として見知らぬ場所を目指す。

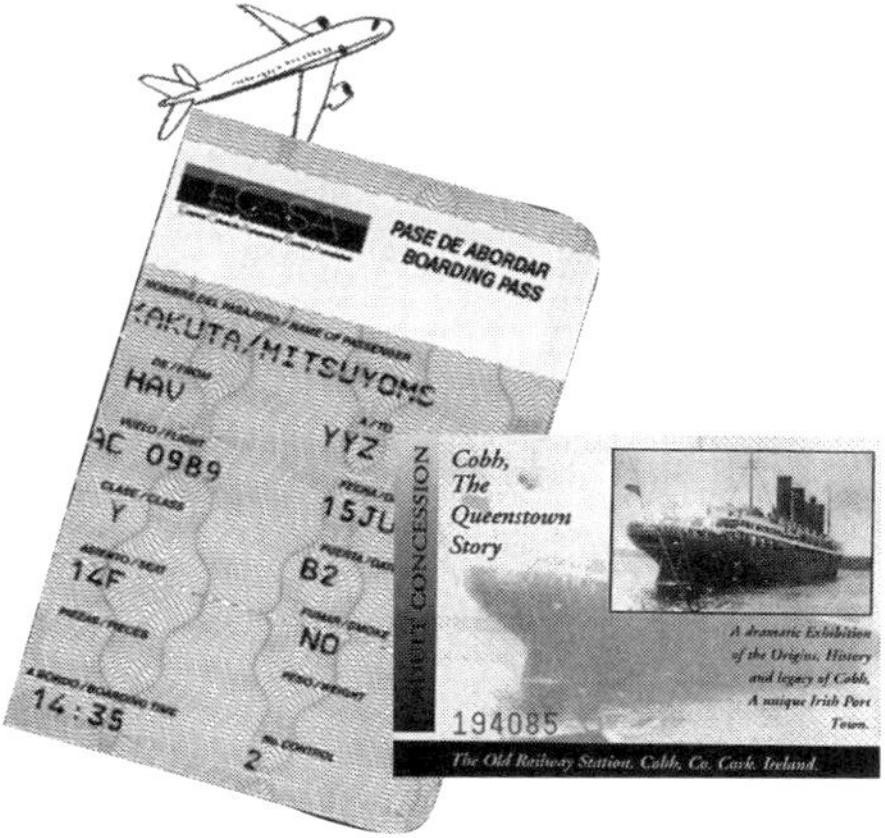

あとがき

ねえ、オーストラリアって、アメリカのどこにあるの？　と、私はかつて友人に訊いたそうである。三歳や五歳時の話ではない、高校生のときだ。そんなこと、私はすっかり忘れていたが、友人はなつかしそうに、あのときはなんとこたえていいかわからなくてこまったわ、と、遠い目をして言う。

地理とか歴史とか、数学とか物理とか、いってしまえば学校で教わるほとんどのことが私には不可解、不条理で、だからいつも、眠るか絵を描くかして授業時間をすごしていた。結果、オーストリアはオーストラリアの誤植であり、そのオーストラリアはアメリカのどこかにある州だと思うという、それこそ不条理な無知ぶりがみずからの内に繁殖していったのである。

現在私はオーストラリアとアメリカが異なる——似ているところもあるけれどほ

とんど似ても似つかない——国であることを知っている。あらためて地理を学んだからではなく、両方の国を旅したから知っているのだ。長距離バスに乗るとドライブ・インにフィッシュ・アンド・チップスしかおいていなくて、刺されると二秒で死んでしまうクラゲがいるきれいな海があって、人々はRをつかうときそんなに舌を巻かない、それがオーストラリアであり、地下鉄のホームに大道芸人やら楽隊やらがいて、観たいときにいつでもミュージカルが観られて、どこもかしこも禁煙で、世界の大事なことを決めるための会議場がある、それがアメリカ。これもまた、ひどく狭い、かたよった、意味のない理解ではあるが、たいせつなのは、そのふたつの国がちがう場所である、もしくは、そうしたふたつの場所が存在すると、無知のかたまりが、みずからの実感で理解することなのである。

小学校から十二年間、ほとんどの授業を放棄した代償として、私はそういうふうにしか世界を見ることができないし、理解することができない。今までもずっとそうで、これからもかわらないだろう。

小学校の高学年が一、二年で学ぶことを、二十歳をすぎた私は十年以上かけて学びつつある。アジアとヨーロッパの区別。大陸の区別。そこで生産される製品と、そこで生きる人々。人々の持つ歴史と、彼らの食べる日常食。差別ということ、和解ということ。

パッケージツアーやおつきあいではない、みずからすすんで無計画の旅をはじめてしたのが二十四歳のときで、世界というものを認知した瞬間があるとするなら、その旅においてだ。

私のいる場所のほかに、無数に場所がある。どうやら世界という地図は、とんでもなく巨大らしい。どのくらい巨大なのか、どのくらい未知なのか、知るには自分で出かけていくしかない。地理を学びそこねた私にとって、知らないかぎり、その場所は存在しないにひとしい。

かくして、おぼろげながら地図がつくられていく。タイにいけば私は自分の地図にタイを描くことができる。マレーシア、シンガポールと南下すればそれもくわえることができる。ラオス、ミャンマーもつなげていける。まったくの空白だった世界が、少しずつ私のまえで、立体感を持ちはじめる。意味を持ちはじめる。

足で歩いてその国境をこの目で見れば、場所と場所をつなげて考えることができるが、たとえば飛行機で移動なんかしてしまうと、途端に場所の正確な位置関係は理解不能ゾーンになる。しかしたいていの国へいくのに飛行機をつかっているわけだから、今や私の地図はぐちゃぐちゃもいいところである。飛行時間も既成の地球儀もまるきり無視、その場所の印象、私との相性、したしみ具合、それらが基準となって、タイの隣にベトナムがあったり、ベトナムの向かいにモロッコがあったり、ロンドンから海をわたってアイルランドは理解できるけれど、そのひとかたまりが韓国の隣に位置していたり、まあ、そういう地図なのである。

けれどこれでいいのだ。既成の地図と同じものを頭のなかに再現したいわけじゃない。私はそこに世界がある――ひとつの場所があってそこで生きる人々がいて笑ったり食べたりしているということを、知りたいだけなのだから。


まとまった時間があればすぐさま休暇宣言をこっそり自分自身で表明し、チケットをとりうんと苦手な飛行機に乗りこんでどこかを目指す、ということをここ十年くらい続けている。世界はひろい。私の地図はまだまだ完成に程遠い。

場所を思うことは恋に似ている、とかつてアイルランドで私は気づいたが、似ているどころではない、これは恋だ、と最近しみじみ自覚している。しかも、とんでもない相手に私は恋をしている。相手のことを知りたいと切望し、知ればその部分をまた好きになり、好きになれない部分もまたある種のいとしさを持って許容し、未知なる部分は塗りつぶしてもまだ広大で、結果恋愛はどんどんヒートアップする。おそろしいことに私が恋した相手は、私の無知を許し、無力さと勝手さと気まぐれを黙認し、相手の領分に文字どおり土足で踏みこんでいくことをあたたかく見まもるのである。これで相手も同じ温度でこちらに恋してくれれば私たちは破滅の道へとむかいそうだが、そうではないからたちが悪い。おそらく私はこれから先もずっと、この微熱のような片恋状態で世界と向き合い続けるのだろう。位置関係のめちゃくちゃな地図は、かような恋力を失わないかぎり、これから先もずっと作成され続けていくのだろう。いったい何をしているんだと、自身に問いかけながらも。

ところどころ抜け落ちていて、隣り合うはずのない場所が隣り合い、近くもない場所がひどく近くに存在する、場所も時間もばらばらの、そんなめちゃくちゃな地図をそのまま文字に置き換えて、このエッセイ集をつくりました。

求龍堂の工藤隆さんと作家でもある装幀家の素樹文生さんに、たいへんお世話になりました。刺激的かつ抱腹的なたのしい作業でした。ありがとうございました。

私は今モルジブの小さな島にいて、またひとつ、地図にあらたな場所をくわえたところです。この本を手にとって、それぞれきっと抱えているのであろう心のなかのめちゃくちゃな地図と、重ね合わせて読んでもらえたらとてもうれしい。

二〇〇一年三月

角田光代

文庫版あとがき

二〇〇四年末、巨大な地震がスマトラ島沖で起きた。毎日のように流れるニュースを、テレビに映る町角を、私は食い入るように見ていた。タイ、インドネシア、スリランカ、マレーシア、ミャンマー、被害にあった国はほとんど旅したことがある。その土地の名前を聞けば、いくつも浮かぶ顔がある。絵はがきを売っていた十四歳の男の子、ディスコに連れていってくれた青年、まだ幼い弟とおなかの大きな奥さんを養っていた海の家の若い男の子、家に招き正月のお菓子を分けてくれた家族……報道される町の名前と、彼らと出会った町は違うから、もちろんテレビ画面に彼らの顔が映し出されるはずはない。けれど私は彼の地が読み上げられるたび、顔を上げ、食い入るように彼らの姿を捜し続けた。

そうして私は気づくのである、旅先で、私はなんと多くの、名も知らぬ人々と出会ってきたのだろうかと。

旅するとき、行き先はたいてい、いったことのない場所を選ぶ。前の旅で気に入った町を訪れて、そこでお世話になったり友達になった人と会いたいな、と思わないでもないが、やっぱり見知らぬ場所を選んでしまう。だから、旅で会った人とその町で再会する、という経験が私には皆無だ。彼らがどうしているか、私は知らない。今も絵はがきを売っているか、夫婦でジュースを売っているか、ツーリスト・インフォメーションの部屋でぼんやりおもての陽光を見つめているか……。実際がどうあれ、再会は果たしていないわけだから、私のなかで彼らはいつでも、私と会った同じその場所にいる。私が会ったときとおんなじ笑顔で、おんなじものを売ったりおんなじ町を案内したりおんなじ場所で暇つぶしをしたりしていて、地図を読めない旅行者が途方にくれた顔で通りかかると、まったく当たり前のように、襟についたゴミを取り払うように自然に、手をさしのべている。

地震の報道を見て、だから私にできることは、祈ることだけだ。彼らがどうか無事でありますように。どうか、私の会ったあの場所で、おんなじ笑顔で、たくましく生きていますように。

私にとって、旅は見知らぬだれかに出会うことでもある。だれにも出会わないで旅することは不可能だ。食堂の主人、鉄道駅の切符売り、しつこくあとをついてくる物売り……一日、数分だとしても、旅人は未知のだれかと出会い、言葉を交《か》わす。そうしなければ、旅することは叶わない。

地震のニュースに胸を痛め祈ることができるというのは、それだけ、私は素晴らしい出会いを得たということである。いつまでたっても旅慣れないし、すべての旅が素晴らしかったというわけではないのだが、しかし、祈る相手がいるということを、旅行者として、私はひどく幸福に思う。

人の数倍こわがりの私が、それでもひとりで飛行機に乗りこめるのは、今まで出会ってきた人々のおかげだと思う。すれ違うようにして出会い、別れた人々が、私のなかに、旅に対する圧倒的な信頼を作ってくれたのだと思っている。

私はこれからも、未だ見たことのない場所を目指し続ける。そこで待つ見知らぬ人との出会いを、まるで約束のように思いながら。

二〇〇五年三月

角田光代

解説

いしいしんじ

角田光代さんは、散歩をしに外国へいっている。道ばたで会ったひとと夕餉《ゆうげ》の卓をかこみ、波間にひとりふわふわと浮かび、雨に降られ、無数の虫に襲われ、笑ったり辟易《へきえき》したりしつつ、とにかく絶えず、歩きまわることをやめない。たとえ一つところに座っていたとしても、その少し離れた場所を、うっすらと熱を帯びた目に見えない分身が、若い犬のようにうろうろと周回し、通り過ぎるひとびとの気配、路上のごみ、屋台からたちのぼる煙などに注意をはらっている。なにか見つければ分身は即座に声をあげ、それを感じた角田さんはやおらに立ちあがり、きこえない声の響いたほうへ、喧噪《けんそう》を割ってすたすたと本物の足で歩みだす。

ただし、外国にいったひとがしていることといえば、ほとんどの場合散歩なのだ。世界遺産を見に大陸へ。ぶどうの収穫期に地中海の果樹園へ。でかけていった先で旅行者のすることは、街歩き、あてどのない散策、要するになじみのない場所での、おっかなびっくりの散歩である。地図を広げ、なんと発音するかわからない地名を捜す。道をたずね、早口でまくし立てる相手に、わかりもしないのにわかったような顔でうなずいている。ホテルを出て、ホテルへまたたどり着くまでの半日の冒険。

けれども一般的に、「何日かのあいだ、ぜんぜん知らない場所を歩いてきます」では、あまり格好がつかないので、「遺跡を見てくる」「スキーへ」「いまオーロラの季節だから」などと、どこか大仰な題目をつけ、ひとは外国へ旅行にでかけ、そしてしこたま散歩をする。日本にいる知人と、帰ってからの自分を納得させるために、写真を撮り、土産物を買う。

角田さんの旅には、そういった大仰な題目がまったく見られない。計画や目的や方向性のない、純粋な散歩者として、角田さんはなにもない島や街路を、ただひとり歩いていく。道に迷うことも散歩の一部とこころえ、しばしば堂々と道に迷う。

角田さんの旅は散歩だから、ほとんど例外なしにひとり旅である。往々にして道連れがあると、旅の意味はかわってくる。ともに歩くことが目的になる、たとえば知り合って間もない恋人や、古い友人同士との旅は、人間関係の伸び縮みをはかる実験を、旅先でおこなっているようなおもむきがある。そうしたふたり、三人旅で、余計な、予想外の出来事があってはならない。遭難の予感や、羽虫の急襲や、耳の破れそうな奇声をあげる不審者の出現などは、人間関係の実験には、不要な余計ものと考えられている（こうしたときにこそ関係が露わになりもするが）。

「足元ではねずみが走り、全開の窓からいろんなサイズ、種類、形態の虫が飛びこんできて、私は徐々に、これはひょっとしたら、非常にやばいかもしれない、と思いはじめていた」

「飛行機のエンジン音は尻に内臓に響き、それに比例しておやじは声をはりあげ奇妙な動きも激しさを増し、私は全身から血の気が引いていくのを感じて座席にぐったりと座りこんでいた」

「増水している上に、波があらく、私たちの小船は、波におどらされ、四十五度から八十度ほどの角度で舳先《へさき》からまっすぐ持ち上げられてはたたき落とされる、ということをくりかえしながら進むしかないのだった」

（「Where are we going ?」より）

虫とおやじの声と塩水にまみれ、角田さんは戸惑い、あきらめている。まさしくこうしたことを、「くりかえしながら進むしかない」のである。「行動数値の定量」のなかで友達にいわれたような、「行動力がある」「勇敢である」といった問題でなく、さまよいこんだ旅のなかの、あらゆる悲惨、不快な出来事を、それも旅の大きな芯として受け入れていく。旅を彩るエピソードなどでなく、それこそが旅なのだ。散歩の途中、靴で踏み抜いた五寸釘。通りすがりの自転車との衝突。いつのまにかシャツにへばりついていたチューインガムのかす。

無防備、不用心とはちがう。真剣に散歩をする、その結果なのである。地図やガイドブックの記述をたどるのでなく、遺跡やオーロラに関心を委ねるのでもなく、ただひとり、知っている世界のさらに外側へ、あらゆる突発事を受け入れる覚悟をもって。そして、この真摯《しんし》な散歩者へ、旅はときどき、贈り物を返してよこす。マンダレーの、ツーリスト・インフォメーションの部屋で。スリランカの埃《ほこり》だらけのバスターミナルで。その瞬間、その場にいた散歩者にだけ、世界はわずかな切れ目をつくり、それまで隠していた美しい姿をふいにのぞかせる。

けれども、角田さんは、その瞬間に出会うため、世界の美しさに触れるためだけに、旅をつづけているのではない。やがてくる僥倖《ぎようこう》のかわりに、ぎりぎりと歯がみし辛酸に耐えているわけではなく、美しさも不快さも、すべてをひっくるめて、旅を、散歩を、たったひとりで受け入れている。「恋するように旅をして」という題には、おそらくそういう意味も含まれているのだろう。

こうした態度で旅をつづけながら、角田さんが旅にのめりこみ、熱情のあまり、みずからを失う、ということはない。本書のどこにも、ただのナイーブな、旅行者の心情告白といった記述は、一文として見られない。角田さんにとって、散文をつらねていくことも、まちがいなく散歩の、旅の一種にちがいないからだ。文章を追っていくと角田さんの歩きかた、立ち止まったときの格好が、まるで眼前に浮かぶような箇所が頻繁にある。

「ああ！　フナ広場か！　二人はようやく理解して店の外に私を連れ出し、最初の角まで私とともに歩き、この先をまっすぐいけ、と身振りで示す。礼を言って進み、しばらくしてふりむくと二人は角に立ってこちらを見ている。ありがとうと手をふり、さらに歩いてふりかえるとまだそこにいる。ありがとうとつぶやいて頭を下げると、彼らもなぜか、私と同じように頭を下げて、小さく手をふる。並んで手をふる彼らの周囲に、細い光が直線を描いて地面に落ちている」

（「空という巨大な目玉――モロッコにて」より）

このような記述を読むとき、また、わけのわからない怒声を狭い飛行機のなかであげるおやじについての描写を読むとき、読者は角田さんの描きだす散文のなかに、まるで旅先にいるような真新しい緊張感をもって、いつのまにか全身ではいりこむことができている。そこには、書き手と旅と読者との、三角関係が生まれているのだ。旅と文章と角田さんの、三角関係といってもよい。ただの紀行文を読んだ感じではない。こちらの体温がわずかにあがるような、恋文を共有したような読後感が、しばらくのあいだ残る。できるだけ丁寧に、歩くような速度で読みすすめたほうがいい。はじめて外国の土地を踏んだときの、初恋に似た記憶が、からだの奥で、ざわざわとよみがえるのが感じとれるはずだ。

記憶といえば、角田さんに会ったことが一度だけある。東京の昼間の繁華街。薄暗い小部屋で、旅や小説の話をうかがったあと、編集者と三人で料理屋へはいった。たしか韓国料理の店だったと思う。角田さんはグラスでビールを飲んだ。そして、これから友達に会いに行きます、といって、ゆったりとした歩調で出口にむかった。ガラスの自動ドアがひらき、夕方のアスファルトのほうへ、角田さんはひょいと片足を踏みだした。季節がいつか、そこがどんな店だったか、まったく記憶にないというのに、その瞬間、前に出された足のかたちだけは、今もはっきりとおぼえている。こんなに軽々と歩くひとは見たことがない、と思った。まるで両足が宙に浮き、自動ドアに敷かれたマットの上を、角田さんの小柄なからだが、ふわりと飛んでいくように見えたのである。

初出一覧

「あんた、こんなとこで何してるの?」/書き下ろし
夢のようなリゾート/書き下ろし
トーマスさん/書き下ろし
旅における言葉と恋愛の相互関係について/書き下ろし
旅のシュールな出会い系/「旅行人」二〇〇〇年八月号
ナマグサ/書き下ろし
超有名人と安宿/書き下ろし
旅トモ/書き下ろし
行動数値の定量/書き下ろし
ツーリスト・インフォメーションの部屋にて/書き下ろし
ベトナムのコーヒー屋/書き下ろし
宴のあと、午前三時/書き下ろし
ラオスの祭/「群像」二〇〇〇年二月号
ミャンマーの美しい雨/「朝日新聞」一九九九年八月二六日付 夕刊
Where are we going?/「文藝別冊 アジアン・トラヴェラーズ」二〇〇〇年七月
ポケットに牡蠣《かき》の殻――アイルランド、コークにて/「すばる」一九九九年二月号
空という巨大な目玉――モロッコにて/「すばる」二〇〇一年二月号
幾人もの手が私をいくべき場所へと運ぶ/「図書新聞」二〇〇一年一月一日号

本書は二〇〇一年四月、『恋愛旅人』として求龍堂より刊行されました。文庫化にあたり、改題、図版構成を変更しました。

|著者| 角田光代　1967年神奈川県生まれ。早稲田大学第一文学部卒業。'90年「幸福な遊戯」で海燕新人文学賞を受賞し、デビュー。'96年『まどろむ夜のUFO』で野間文芸新人賞、'98年『ぼくはきみのおにいさん』で坪田譲治文学賞、『キッドナップ・ツアー』で'99年に産経児童出版文化賞フジテレビ賞、2000年に路傍の石文学賞、'03年『空中庭園』で婦人公論文芸賞、'05年『対岸の彼女』で直木賞、'06年『ロック母』で川端康成文学賞、'07年『八日目の蟬』で中央公論文芸賞、'11年『ツリーハウス』で伊藤整文学賞、'12年『紙の月』で柴田錬三郎賞、『かなたの子』で泉鏡花文学賞、'14年『私のなかの彼女』で河合隼雄物語賞を受賞。そのほかの著書に『笹の舟で海をわたる』『坂の途中の家』など多数。

恋《こい》するように旅《たび》をして

角田光代《かくたみつよ》

2005年 4 月15日第 1 刷発行
2025年10月24日第14刷発行

発行者——篠木和久
発行所——株式会社　講談社
東京都文京区音羽2-12-21　〒112-8001
電話　出版　(03) 5395-3510
　　　販売　(03) 5395-5817
　　　業務　(03) 5395-3615

Printed in Japan

講談社文庫
定価はカバーに
表示してあります

KODANSHA

デザイン—菊地信義
本文データ制作—講談社デジタル製作
印刷———株式会社KPSプロダクツ
製本———株式会社国宝社

ISBN4-06-275043-0

講談社文庫刊行の辞

二十一世紀の到来を目睫に望みながら、われわれはいま、人類史上かつて例を見ない巨大な転換期をむかえようとしている。

世界も、日本も、激動の予兆に対する期待とおののきを内に蔵して、未知の時代に歩み入ろうとしている。このときにあたり、創業の人野間清治の「ナショナル・エデュケイター」への志を現代に甦らせようと意図して、われわれはここに古今の文芸作品はいうまでもなく、ひろく人文・社会・自然の諸科学から東西の名著を網羅する、新しい綜合文庫の発刊を決意した。

激動の転換期はまた断絶の時代である。われわれは戦後二十五年間の出版文化のありかたへの深い反省をこめて、この断絶の時代にあえて人間的な持続を求めようとする。いたずらに浮薄な商業主義のあだ花を追い求めることなく、長期にわたって良書に生命をあたえようとつとめるところにしか、今後の出版文化の真の繁栄はあり得ないと信じるからである。

同時にわれわれはこの綜合文庫の刊行を通じて、人文・社会・自然の諸科学が、結局人間の学にほかならないことを立証しようと願っている。かつて知識とは、「汝自身を知る」ことにつきていた。現代社会の瑣末な情報の氾濫のなかから、力強い知識の源泉を掘り起し、技術文明のただなかに、生きた人間の姿を復活させること。それこそわれわれの切なる希求である。

われわれは権威に盲従せず、俗流に媚びることなく、渾然一体となって日本の「草の根」をかたちづくる若く新しい世代の人々に、心をこめてこの新しい綜合文庫をおくり届けたい。それは知識の泉であるとともに感受性のふるさとであり、もっとも有機的に組織され、社会に開かれた万人のための大学をめざしている。大方の支援と協力を衷心より切望してやまない。

一九七一年七月

野間省一

小竹正人　空に住む
岡本さとる　駕籠屋《かごや》春秋　新三《しんざ》と太十《たじゅう》
岡本さとる　質屋の娘〈駕籠屋春秋　新三と太十〉
岡本さとる　雨やどり〈駕籠屋春秋　新三と太十〉
岡崎大五　食べるぞ！世界の地元メシ
荻上直子　川っぺりムコリッタ
小原周子　留子さんの婚活
小倉孝保　35年目のラブレター
海音寺潮五郎　新装版　江戸城大奥列伝
海音寺潮五郎　新装版　孫子（上）（下）
海音寺潮五郎　新装版　赤穂義士
加賀乙彦　新装版　高山右近
加賀乙彦　ザビエルとその弟子
加賀乙彦　殉教者
加賀乙彦　わたしの芭蕉
金井美恵子　タマや〈新装版〉
柏葉幸子　ミラクル・ファミリー
勝目梓　小説家
桂米朝　米朝ばなし〈上方落語地図〉

笠井潔　梟《ふくろう》の巨《おおい》なる黄昏《たそがれ》
笠井潔　青銅の悲劇（上）（下）〈瀕死の王〉
笠井潔　転生の魔〈私立探偵飛鳥井の事件簿〉
川田弥一郎　白く長い廊下
神崎京介　女薫の旅　放心とろり
神崎京介　女薫の旅　耽溺《たんでき》まみれ
神崎京介　女薫の旅　秘に触れ
神崎京介　女薫の旅　禁の園へ
神崎京介　女薫の旅　欲の極み
神崎京介　女薫の旅　青い乱れ
神崎京介　女薫の旅　奥に裏に
神崎京介　I LOVE
加納朋子　ガラスの麒麟〈新装版〉
角田光代　まどろむ夜のUFO
角田光代　恋するように旅をして
角田光代　人生ベストテン
角田光代　ロック母
角田光代　彼女のこんだて帖
角田光代　ひそやかな花園

角田光代 石田衣良 ほか　こどものころにみた夢
川端裕人　せちやん〈星を聴く人〉
川端裕人　星と半月の海
片川優子　ジョナさん
神山裕右　カタコンベ
神山裕右　炎の放浪者
加賀まりこ　純情ババアになりました。
門田隆将　甲子園への遺言〈伝説の打撃コーチ高畠導宏の生涯〉
門田隆将　甲子園の奇跡〈斎藤佑樹と早実百年物語〉
門田隆将　神宮の奇跡
鏑木蓮　東京ダモイ
鏑木蓮　屈折光
鏑木蓮　時限
鏑木蓮　真友
鏑木蓮　甘い罠
鏑木蓮　京都西陣シェアハウス〈憎まれ天使・有村志穂〉
鏑木蓮　炎罪
鏑木蓮　疑薬
鏑木蓮　見習医《けんしゅうい》ワトソンの追究

講談社文庫　目録

川上未映子　そら頭はでかいです、世界がすこんと入ります
川上未映子　わたくし率 イン 歯ー、または世界
川上未映子　ヘ　ヴ　ン
川上未映子　すべて真夜中の恋人たち
川上未映子　愛 の 夢 と か
川上弘美　ハヅキさんのこと
川上弘美　晴れたり曇ったり
川上弘美　大きな鳥にさらわれないよう
海堂　尊　新装版 ブラックペアン1988
海堂　尊　ブレイズメス1990
海堂　尊　スリジエセンター1991
海堂　尊　死因不明社会2018
海堂　尊　極北クレイマー2008
海堂　尊　極北ラプソディ2009
海堂　尊　黄金地球儀2013
海堂　尊　ひかりの剣1988
門井慶喜　パラドックス実践 雄弁学園の教師たち
門井慶喜　銀 河 鉄 道 の 父
門井慶喜　ロミオとジュリエットと三人の魔女

梶　よう子　迷　　子　　石
梶　よう子　ふ　く　ろ　う
梶　よう子　ヨ　イ　豊《とよ》
梶　よう子　立身《りっしん》いたしたく候《そうろう》
梶　よう子　北斎まんだら
川瀬七緒　よろずのことに気をつけよ
川瀬七緒　法医昆虫学捜査官
川瀬七緒　シンクロニシティ〈法医昆虫学捜査官〉
川瀬七緒　水《みな》底《そこ》の棘《とげ》〈法医昆虫学捜査官〉
川瀬七緒　メビウスの守護者〈法医昆虫学捜査官〉
川瀬七緒　潮騒のアニマ〈法医昆虫学捜査官〉
川瀬七緒　紅のアンデッド〈法医昆虫学捜査官〉
川瀬七緒　スワロウテイルの消失点〈法医昆虫学捜査官〉
川瀬七緒　フォークロアの鍵
川瀬七緒　ヴィンテージガール〈仕立屋探偵　桐ヶ谷京介〉
川瀬七緒　クローゼットファイル〈仕立屋探偵　桐ヶ谷京介〉
風野真知雄　隠密 味見方同心㈠〈くじらの姿焼き騒動〉
風野真知雄　隠密 味見方同心㈡〈干し卵不思議味〉
風野真知雄　隠密 味見方同心㈢〈幸せの小福餅〉

風野真知雄　隠密 味見方同心㈣〈恐怖の流しそうめん〉
風野真知雄　隠密 味見方同心㈤〈フグの毒鍋〉
風野真知雄　隠密 味見方同心㈥〈鵺《ぬえ》の闇鍋〉
風野真知雄　隠密 味見方同心㈦〈絵巻寿司〉
風野真知雄　隠密 味見方同心㈧〈ふふふの麩〉
風野真知雄　隠密 味見方同心㈨〈殿さま漬け〉
風野真知雄　潜入 味見方同心㈠〈恋のぬるぬる膳〉
風野真知雄　潜入 味見方同心㈡〈陰膳だらけの宴《うたげ》〉
風野真知雄　潜入 味見方同心㈢〈五右衛門の鍋〉
風野真知雄　潜入 味見方同心㈣〈謎の伊賀忍者料理〉
風野真知雄　潜入 味見方同心㈤〈牛の活きづくり〉
風野真知雄　潜入 味見方同心㈥〈肉欲もりもり不精進《ふしょうじん》料理〉
風野真知雄　魔食 味見方同心㈠〈豪快クジラの活きづくり〉
風野真知雄　魔食 味見方同心㈡〈料亭駕籠《かご》は江戸の駅弁〉
風野真知雄　魔食 味見方同心㈢〈閻魔《えんま》さまの怒り寿司〉
風野真知雄　魔食 味見方同心㈣〈おにぎり寿司は男か女か〉
風野真知雄　昭 和 探 偵 1
風野真知雄　昭 和 探 偵 2
風野真知雄　昭 和 探 偵 3

菊地秀行　魔界医師メフィスト〈怪屋敷〉
桐野夏生　新装版 顔に降りかかる雨
桐野夏生　新装版 天使に見捨てられた夜
桐野夏生　新装版 ローズガーデン
桐野夏生　ＯＵＴ (上)(下)
桐野夏生　ダーク (上)(下)
桐野夏生　猿の見る夢
京極夏彦　文庫版 姑獲鳥《うぶめ》の夏
京極夏彦　文庫版 魍魎《もうりょう》の匣《はこ》
京極夏彦　文庫版 狂骨《きょうこつ》の夢《ゆめ》
京極夏彦　文庫版 鉄鼠《てっそ》の檻《おり》
京極夏彦　文庫版 絡新婦《じょろうぐも》の理《ことわり》
京極夏彦　文庫版 塗仏《ぬりぼとけ》の宴《うたげ》―宴の支度
京極夏彦　文庫版 塗仏の宴―宴の始末
京極夏彦　文庫版 百鬼夜行―陰
京極夏彦　文庫版 百器徒然袋―雨
京極夏彦　文庫版 百器徒然袋―風
京極夏彦　文庫版 今昔続百鬼―雲
京極夏彦　文庫版 陰摩羅鬼《おんもらき》の瑕《きず》

京極夏彦　文庫版 邪魅《じゃみ》の雫
京極夏彦　文庫版 今昔百鬼拾遺―月
京極夏彦　文庫版 鵺《ぬえ》の碑《いしぶみ》
京極夏彦　文庫版 死ねばいいのに
京極夏彦　文庫版 ルー＝ガルー〈忌避すべき狼〉
京極夏彦　文庫版 ルー＝ガルー2〈インクブス×スクブス 相容れぬ夢魔〉
京極夏彦　文庫版 地獄の楽しみ方
京極夏彦　分冊文庫版 姑獲鳥《うぶめ》の夏 (上)(下)
京極夏彦　分冊文庫版 魍魎《もうりょう》の匣《はこ》 (上)(中)(下)
京極夏彦　分冊文庫版 狂骨《きょうこつ》の夢《ゆめ》 (上)(中)(下)
京極夏彦　分冊文庫版 鉄鼠《てっそ》の檻《おり》 全四巻
京極夏彦　分冊文庫版 絡新婦《じょろうぐも》の理《ことわり》 全四巻
京極夏彦　分冊文庫版 塗仏《ぬりぼとけ》の宴《うたげ》 宴の支度《したく》 (上)(中)(下)
京極夏彦　分冊文庫版 塗仏《ぬりぼとけ》の宴《うたげ》 宴の始末《しまつ》 (上)(中)(下)
京極夏彦　分冊文庫版 陰摩羅鬼《おんもらき》の瑕《きず》 (上)(中)(下)
京極夏彦　分冊文庫版 邪魅《じゃみ》の雫 (上)(中)(下)
京極夏彦　分冊文庫版 ルー＝ガルー〈忌避すべき狼〉(上)(下)
京極夏彦　分冊文庫版 ルー＝ガルー2〈インクブス×スクブス 相容れぬ夢魔〉(上)(下)
北森　鴻　親不孝通りラプソディー

北森　鴻　花の下にて春死なむ〈香菜里屋シリーズ1〈新装版〉〉
北森　鴻　桜宵〈香菜里屋シリーズ2〈新装版〉〉
北森　鴻　螢坂〈香菜里屋シリーズ3〈新装版〉〉
北森　鴻　香菜里屋を知っていますか〈香菜里屋シリーズ4〈新装版〉〉
北村　薫　盤上の敵〈新装版〉
木内一裕　藁の楯
木内一裕　水の中の犬
木内一裕　アウト＆アウト
木内一裕　キッド
木内一裕　デッドボール
木内一裕　神様の贈り物
木内一裕　喧嘩猿
木内一裕　バードドッグ
木内一裕　不愉快犯
木内一裕　嘘ですけど、なにか？
木内一裕　ドッグレース
木内一裕　飛べないカラス
木内一裕　小麦の法廷
木内一裕　ブラックガード

木内一裕　バッド・コップ・スクワッド
北山猛邦　『クロック城』殺人事件
北山猛邦　『アリス・ミラー城』殺人事件
北山猛邦　私たちが星座を盗んだ理由
北山猛邦　さかさま少女のためのピアノソナタ
北　康利　白洲次郎　占領を背負った男　(上)(下)
貴志祐介　新世界より　(上)(中)(下)
岸本佐知子 編訳　変《ヘン》愛《アイ》小説集
岸本佐知子 編　変愛小説集　日本作家編
木原浩勝　文庫版　現世《うつしょ》怪談(一)　主人の帰り
木原浩勝　文庫版　現世怪談(二)　白刃の盾
木原浩勝　増補改訂版　もう一つの「バルス」〈―宮崎駿と『天空の城ラピュタ』の時代―〉
木原浩勝　増補改訂版　ふたりのトトロ〈―宮崎駿と『となりのトトロ』の時代―〉
喜国雅彦 国樹由香　メフィストの漫画
喜国雅彦 国樹由香　本格力〈本棚探偵のミステリ・ブックガイド〉
清武英利　石つぶて〈警視庁　二課刑事の残したもの〉
清武英利　しんがり〈山一證券　最後の12人〉
清武英利　トッカイ〈不良債権特別回収部〉
喜多喜久　ビギナーズ・ラボ

岸見一郎　哲学人生問答
木下昌輝　つわもの
黒岩重吾　新装版　古代史への旅
栗本　薫　新装版　ぼくらの時代
黒柳徹子　窓ぎわのトットちゃん　新組版
倉知　淳　新装版　星降り山荘の殺人
熊谷達也　浜の甚兵衛
熊谷達也　悼みの海
倉阪鬼一郎　八丁堀の忍
倉阪鬼一郎　八丁堀の忍(二)〈大川端の死闘〉
倉阪鬼一郎　八丁堀の忍(三)〈遥かなる故郷〉
倉阪鬼一郎　八丁堀の忍(四)〈隻腕の抜け忍〉
倉阪鬼一郎　八丁堀の忍(五)〈討伐隊、動く〉
倉阪鬼一郎　八丁堀の忍(六)〈死闘、裏伊賀〉
黒田研二　神様の思惑
黒木　渚　壁の鹿
黒木　渚　本性
黒木　渚　檸檬の棘
久坂部　羊　祝葬

黒澤いづみ　人間に向いてない
久賀理世　奇譚蒐集家　小泉八雲〈白衣の女〉
久賀理世　奇譚蒐集家　小泉八雲〈終わりなき夜に〉
雲居るい　破《は》蕾《らい》
鯨井あめ　晴れ、時々くらげを呼ぶ
鯨井あめ　アイアムマイヒーロー！
鯨井あめ　きらめきを落としても
窪　美澄　私は女になりたい
くどうれいん　うたうおばけ
くどうれいん　虎のたましい人魚の涙
くどうれいん　氷柱《つらら》の声
黒崎視音　マインド・チェンバー〈警視庁心理捜査官〉
決戦！シリーズ　決戦！関ヶ原
決戦！シリーズ　決戦！大坂城
決戦！シリーズ　決戦！本能寺
決戦！シリーズ　決戦！川中島
決戦！シリーズ　決戦！桶狭間
決戦！シリーズ　決戦！関ヶ原2
決戦！シリーズ　決戦！新選組

講談社文庫　目録

佐藤さとる 〈コロボックル物語⑤〉小さな国のつづきの話
佐藤さとる 〈コロボックル物語⑥〉コロボックルむかしむかし
佐藤さとる 天狗童子
佐藤さとる 絵／村上勉 わんぱく天国
佐藤愛子 新装版戦いすんで日が暮れて
佐木隆三 慟哭〈小説・林郁夫裁判〉
佐木隆三 身分帳
佐高信 石原莞爾その虚飾
佐高信 わたしを変えた百冊の本
佐高信 新装版逆命利君
佐藤雅美 ちよの負けん気、実の父親〈物書同心居眠り紋蔵〉
佐藤雅美 へこたれない人〈物書同心居眠り紋蔵〉
佐藤雅美 わけあり師匠事《こと》の顛末〈物書同心居眠り紋蔵〉
佐藤雅美 御奉行の頭の火照《ほて》り〈物書同心居眠り紋蔵〉
佐藤雅美 敵《かたき》討ちか主殺しか〈物書同心居眠り紋蔵〉
佐藤雅美 江戸繁昌記〈寺門静軒無聊伝〉
佐藤雅美 青雲遙かに〈大内俊助の生涯〉
佐藤雅美 悪足掻《あが》きの跡始末厄介弥三郎
佐藤雅美 恵比寿屋喜兵衛手控え〈新装版〉
酒井順子 負け犬の遠吠え
酒井順子 朝からスキャンダル
酒井順子 忘れる女、忘れられる女
酒井順子 次の人、どうぞ！
酒井順子 ガラスの50代
佐野洋子 嘘ばっか〈新釈・世界おとぎ話〉
佐野洋子 コッコロから
佐川芳枝 寿司屋のかみさん サヨナラ大将
笹生陽子 ぼくらのサイテーの夏
笹生陽子 きのう、火星に行った。
笹生陽子 世界がぼくを笑っても
沢木耕太郎 一号線を北上せよ〈ヴェトナム街道編〉
佐藤多佳子 一瞬の風になれ 全三巻
佐藤多佳子 いつの空にも星が出ていた
笹本稜平 駐在刑事
笹本稜平 駐在刑事 尾根を渡る風
西條奈加 世直し小町りんりん
西條奈加 まるまるの毬《いが》
西條奈加 亥子《いのこ》ころころ
佐伯チズ 改訂完全版 佐伯チズ式「完全美肌バイブル」〈123の肌悩みにズバリ回答！〉
斉藤洋 ルドルフとイッパイアッテナ
斉藤洋 ルドルフともだちひとりだち
佐々木裕一 公家武者信平《のぶひら》〈消えた狐丸〉
佐々木裕一 逃げた名馬〈公家武者信平(二)〉
佐々木裕一 比叡山の鬼〈公家武者信平(三)〉
佐々木裕一 公《く》卿《ぎょう》の罠《わな》〈公家武者信平(四)〉
佐々木裕一 狙われた旗本〈公家武者信平(五)〉
佐々木裕一 赤い刀身〈公家武者信平(六)〉
佐々木裕一 帝《みかど》の刀《とう》匠《しょう》〈公家武者信平(七)〉
佐々木裕一 若君の覚悟〈公家武者信平(八)〉
佐々木裕一 くもの頭領〈公家武者信平(九)〉
佐々木裕一 宮中の誘い〈公家武者信平(十)〉
佐々木裕一 雲雀《ひばり》の太刀〈公家武者信平(十一)〉
佐々木裕一 決着の鬨《とき》〈公家武者信平(十二)〉
佐々木裕一 姉妹の絆〈公家武者信平(十三)〉
佐々木裕一 町くらべ〈公家武者信平(十四)〉
佐々木裕一 影姫〈公家武者信平(十五)〉
佐々木裕一 斬旗党〈公家武者信平(十六)〉

2025年6月13日現在